ÉTONNANTS

La Peur et autres récits

8 nouvelles fantastiques, réalistes, à chute

Présentation, notes, dossier et cahier photos
par Stéphane DESPRÉS,
professeur de lettres

Flammarion

ISBN : 978-2-0813-4778-6
ISSN : 1269-8822

SOMMAIRE

La Peur et autres récits

PRÉSENTATION

Il est vraisemblable que le récit court soit à l'origine de toute littérature. Évidemment, les textes fondateurs dans lesquels les grandes civilisations lisent le mythe de leurs origines constituent de véritables épopées mais, dans bien des cas, la forme écrite qui en assure la postérité est la compilation d'un certain nombre d'épisodes héroïques indépendants ; ils ne tiennent ensemble que par le talent de l'auteur qui les a rassemblés. Il en est ainsi de *Gilgamesh*[1], du *Mahâbhârata* des Indiens, et même de l'*Odyssée* d'Homère, qui a fait l'objet de controverses savantes concernant le morcellement apparent de son histoire. À son sujet, ajoutons que, en dépit de sa longueur, c'est bien une esthétique de l'épisode qui s'impose à l'esprit de son lecteur.

Ainsi, il est possible d'affirmer que l'histoire courte orale s'est développée à l'écrit selon deux directions complémentaires : soit en servant de support à la construction de récits plus vastes ayant une fonction sociale et/ou religieuse ; soit sous la forme d'un épisode isolé dont la portée édifiante repose sur la dimension illustrative. L'évolution de la littérature, passant du domaine du sacré à celui du profane, faisant disparaître le héros au profit

1. Récit de plus de trois mille vers (v. 2300 av. J.-C.) racontant les aventures d'un roi mésopotamien légendaire.

du personnage, et l'inscription de l'auteur dans un rôle social ont favorisé l'essor de ces histoires qui scrutent les consciences individuelles, et tendent aux hommes le miroir de leurs propres grandeurs et turpitudes.

Fidèle à la tradition orale qui mettait en présence le récitant et son auditoire, le récit bref favorise la proximité entre auteur et lecteur, et procure au second le plaisir de la dérision ou le frisson de la peur. C'est ce dernier aspect qu'illustre ce recueil de huit nouvelles.

Par ce mot, on désigne un grand nombre de textes, assez différents les uns des autres. La « nouvelle » peut aller du récit bouclé en quelques lignes au « petit roman » d'une centaine de pages. Depuis le Moyen Âge, le succès de ces histoires courtes ne s'est jamais démenti. Les plus grands auteurs ont excellé dans ce genre de récit qui a fait l'objet de nombreuses tentatives de définition, sans qu'aucune soit jamais parvenue à le circonscrire ni à le figer. Grand spécialiste du genre, Maupassant aurait pu dire de la nouvelle ce qu'il a dit du roman : « le critique qui ose encore écrire : ceci est un roman et cela n'en est pas un, me paraît doué d'une perspicacité qui ressemble fort à de l'incompétence[1] ».

Cette multiplicité de formes qui rend difficile l'inscription de la nouvelle dans le cadre d'un modèle canonique vient sans doute de ce que, à toutes les époques, les auteurs en ont fait un usage particulier, répondant chaque fois à leurs propres critères esthétiques. Ce faisant, ils ont posé les jalons de l'histoire du récit court, du fabliau médiéval à la nouvelle moderne et contemporaine.

---

1. Dans la préface de *Pierre et Jean* (1888), à propos du roman.

La nouvelle : un récit court issu d'une longue tradition

Les récits brefs avant la nouvelle

Au fil de l'histoire, les récits brefs ont adopté des formes diverses. Les « lais », « fabliaux », « dits », « exemples », « novas » étaient les formes narratives brèves du Moyen Âge : chacune d'elles avait une fonction particulière et un ou des sujets de prédilection. Par exemple, le « dit » est un récit plaisant d'aventures incroyables que l'auteur prétend avoir vécues : il est souvent l'occasion de descriptions, qui sont tantôt satiriques, tantôt élogieuses. Pour leur part, les « fabliaux » sont des « contes à rire[1] » longs de quelques centaines de vers, dédiés en général à la satire sociale. Enfin, les « novas », mot de la langue d'oc, sont « des récits relativement brefs, centrés sur une péripétie unique et chargés d'un enseignement[2] ».

C'est à la fois leur brièveté et les sujets qu'ils abordaient sur un mode satirique, didactique, comique, qui permettaient de distinguer ces textes des grands récits courtois et des chansons de gestes relatant, au long cours, dans un registre épique, les hauts faits des héros anciens[3].

Les mots « nouvelle » et « conte » trouvent leur origine étymologique à la même époque : au XIIe siècle, Chrétien de Troyes écrit le roman de Perceval qu'il intitule *Le Conte du Graal*; quant au verbe *noveler*, qui à l'origine signifie « changer », il prendra

---

1. Joseph Bédier, *Les Fabliaux*, Honoré Champion, 1964 (6e éd.), p. 30, cité in Roger Dubuis, « La Genèse de la nouvelle au Moyen Âge », *Cahiers de l'Association internationale des études françaises*, n° 18, 1966, p. 15.
2. Michel Zink, *Littérature française du Moyen Âge*, PUF, 1992, p. 259.
3. Par exemple *La Chanson de Roland*, 1098.

dès l'ancien français le sens de « répandre une nouvelle », puis celui de « raconter une histoire[1] ». Toutefois, le mot « nouvelle » ne désigne un genre littéraire qu'à partir du XVe siècle, sous l'influence de la *novella* italienne. C'est en effet l'Italien Boccace, dont le recueil intitulé *Décaméron* est publié en 1353, qui semble avoir proposé un modèle dont les auteurs européens vont ensuite s'inspirer. Dans la lignée des conteurs qui l'ont précédé, empruntant à la tradition orale, l'auteur peint la société du XIVe siècle, avec ses ridicules, ses vices, ses passions. En France, la nouvelle bénéficie à cette époque de la mort des grands genres qui ont marqué la littérature médiévale, et en particulier du fabliau qui disparaît au début du XIVe siècle[2].

Sur le modèle de Boccace, l'auteur français anonyme des *Cent Nouvelles Nouvelles* parues en 1492 rapporte en termes concis des faits récents, volontiers joyeux. Le mot « nouvelle » s'oppose désormais à « histoire », qui suggère l'idée de longueur et de narration de faits anciens. Au XVIe siècle, la nouvelle se développe notamment en empruntant ses sujets aux autres genres narratifs brefs : la « facétie » (écrit burlesque), le « motto » (livre de proverbes illustrés), l'« épigramme » (composition versifiée d'intention satirique et qui se termine par un trait piquant)... Le succès que rencontre l'*Heptaméron* de Marguerite de Navarre (écrit entre 1540 et 1547) témoigne du goût du public pour cette forme de récit. Les nouvelles de ce recueil, présentées par leur auteur comme inspirées de faits authentiques, constituent un tableau fidèle de la vie (notamment amoureuse) de la haute société dans la première moitié du XVIe siècle.

---

1. Algirdas Julien Greimas, *Dictionnaire de l'ancien français*, article « Novel », Larousse, 1979, p. 415.
2. Dominique Boutet et Armand Strubel, *La Littérature française du Moyen Âge*, PUF, 1994, p. 88-89.

Essor de la nouvelle et confusion des genres

L'émergence du roman au XVIIe siècle est l'occasion d'une confusion courante entre les mots désignant les différents genres narratifs : « nouvelles », « contes », « romans », voire « histoires » pour les auteurs les plus désinvoltes (en témoigne l'œuvre de Mme de Villedieu, *Cléonice ou le Roman galant, nouvelle*, 1669). Cette indifférenciation n'est sans doute pas sans lien avec le fait que, à partir de cette époque, les auteurs considèrent la nouvelle comme un « petit roman » : à ce titre, voici ce qu'on peut lire à l'article « Aventure » de l'*Encyclopédie* de Diderot et d'Alembert[1] : « Les nouvelles et les romans sont des relations circonstanciées d'aventures imaginaires qu'on attribue à des cavaliers, des amants, etc. »

Cette définition confirme que romans et nouvelles partagent des sujets identiques et ne se distinguent plus que par la longueur du récit. Le critère de brièveté attribué à la nouvelle est à l'origine d'une autre confusion durable entre conte et nouvelle, dernières formes de récits courts dans lesquelles se seraient résolues toutes les formes narratives brèves du Moyen Âge et de la Renaissance. Pierre-Yves Badel écrit à ce propos : « Plusieurs manuscrits du Moyen Âge constituent des recueils de contes brefs, que l'inspiration en soit religieuse, morale, courtoise ou amusante. Ces collections, en somme, ne sont guère différentes des recueils de nouvelles du XVIe siècle où l'on trouve la même variété de tons[2]. »

---

1. *Encyclopédie, ou Dictionnaire raisonné des sciences, des arts et des métiers*, œuvre collective des grands philosophes du XVIIIe siècle dont le premier volume a paru en 1751.
2. Pierre-Yves Badel, *Introduction à la vie littéraire du Moyen Âge*, Bordas/Mouton, coll. « Études supérieures », 1969, p. 201.

Les œuvres de Jean de La Fontaine se réclament de cet héritage, comme l'indiquent les sous-titres de ses *Contes et Nouvelles* : « Le Muletier, nouvelle tirée d'un conte de Boccace », « La Servante justifiée, nouvelle tirée des contes de la reine de Navarre »...

Au seuil du XIXe siècle, l'équivalence est complète entre les deux termes. René Godenne l'explique avec beaucoup de clarté : « prenant son sens large et courant de récit de quelque aventure, de quelque anecdote, [le mot "conte"] devient dans l'esprit des auteurs un parfait équivalent de "nouvelle". Ainsi parle-t-on régulièrement des "contes" de Mérimée, alors que celui-ci a utilisé le terme de "nouvelles" pour ses textes, tandis qu'on nommerait volontiers "nouvelles" les contes de Voltaire, de Diderot ou de Flaubert[1] ». Cette confusion n'empêche pas l'essor extraordinaire, au XIXe siècle, du récit bref (nouvelle ou conte), sous les plumes de Nodier, Gautier, Maupassant, Mérimée, Balzac, Daudet, Erckmann-Chatrian...

Le XIXe siècle : le grand siècle de la nouvelle

Le développement de la nouvelle au XIXe siècle va de pair avec celui de deux esthétiques différentes que sont le réalisme et le fantastique, la dernière évoluant à son tour vers un « réalisme magique » au XXe siècle.

1. René Godenne, « La nouvelle française », *Études françaises*, vol. 12, n° 1-2, 1976, p. 104.

La presse offre des espaces de publication et impose son format

Si l'on en croit l'auteur du *Dictionnaire de la langue française* Émile Littré (1801-1881), la nouvelle est perçue au XIXe siècle comme une «sorte de roman très court, [un] récit d'aventures intéressantes ou amusantes». Pour le moins imprécise, cette définition souligne pourtant deux caractéristiques qui assurent le succès de la nouvelle et facilitent sa diffusion dans la presse : la brièveté et l'efficacité narrative. Sous forme de feuilletons, les auteurs proposent alors des récits inspirés de la chronique judiciaire, de faits divers frappants, des anecdotes à visée humoristique ou édifiante[1] qui emportent l'adhésion d'un lectorat nombreux et populaire.

Bénéficiant de ce mode de publication, les *Histoires extraordinaires* d'Edgar Allan Poe paraissent dans *Le Pays* de juillet 1854 à avril 1855, traduites et commentées par Charles Baudelaire. Fasciné par l'écriture de Poe, Baudelaire relaie la «théorie de l'intensité de l'effet» exposée par l'auteur américain dans «La Genèse d'un poème[2]». Celle-ci repose sur deux principes, que Poe énonce de la façon suivante : «Pour moi, la première de toutes les considérations, c'est celle d'un effet à produire»; «S'il est une chose évidente, c'est qu'un plan quelconque, digne du nom de plan, doit avoir été soigneusement élaboré en vue du dénouement, avant que la plume attaque le papier».

De ces deux caractéristiques nécessaires à l'efficacité du récit, Baudelaire déduit la supériorité de la nouvelle sur tout autre genre narratif : «[La nouvelle] a sur le roman [...] cet

1. ***Édifiante*** : qui comporte un enseignement moral.
2. Edgar Allan Poe, «La Genèse d'un poème» (*The Philosophy of Composition*), *Graham's Magazine*, Philadelphie, avril 1846.

immense avantage que sa brièveté ajoute à l'intensité de l'effet. Cette lecture, qui peut être accomplie tout d'une haleine, laisse dans l'esprit un souvenir bien plus puissant qu'une lecture brisée, interrompue souvent par le tracas des affaires et le soin des intérêts mondains[1]. »

Concision du texte exerçant une emprise sur le lecteur, récit tendu vers une fin, rigueur de la composition excluant les personnages secondaires ou la multiplication des motifs annexes : c'est sous cette forme que les nouvelles et les contes relevant d'une esthétique réaliste ou naturaliste exposent et analysent les comportements humains (Maupassant, Flaubert, Zola); parallèlement, on assiste à un engouement immense pour le registre fantastique que tous les écrivains du siècle vont explorer avec succès.

Naissance d'un mouvement artistique : le réalisme

Le réalisme dans les arts, en peinture et en littérature, n'est pas une invention du XIXe siècle. En effet, au sens courant du terme, on peut qualifier de réaliste toute œuvre qui prend comme modèle le monde réel, tel que les humains le perçoivent, et en propose une description aussi fidèle que possible. À ce titre, l'*Heptaméron* de Marguerite de Navarre peut être considéré comme un recueil de nouvelles réalistes puisqu'elles ne font jamais intervenir d'événements relevant du merveilleux ou du fantastique.

Mais, au milieu du XIXe siècle, le mot « réalisme » prend un sens nouveau sous l'influence de peintres comme Gustave Cour-

1. Charles Baudelaire, préface des *Nouvelles Histoires extraordinaires* d'Edgar Allan Poe.

bet et d'écrivains comme Honoré de Balzac, Gustave Flaubert ou encore Émile Zola. Ces artistes rejettent l'esthétique romantique au profit de ce qu'ils considèrent comme un retour au réel. Cette volonté de proposer une nouvelle fonction à la littérature aboutit à fonder le réalisme en théorie littéraire et à considérer les auteurs qui s'en réclament comme appartenant à un même mouvement artistique. À ce propos, Zola écrit : « L'imagination n'est plus la qualité maîtresse du romancier. [...] Un grand romancier doit avoir le sens du réel[1]. »

La définition du *Dictionnaire Littré* (1873-1877) précise le propos de Zola : le réalisme se caractérise par un « attachement à la reproduction de la nature sans idéal ». En effet, les artistes de l'époque accusent le romantisme d'offrir une vision idéalisée du monde ; à l'inverse, ils prétendent « étudier » la société dans tous ses aspects : ils s'attachent notamment à dépeindre la vie banale et les mœurs de personnages issus du peuple sans destinée exceptionnelle. À la critique qui leur reproche de faire figurer dans leurs œuvres la laideur ou la vulgarité, les écrivains réalistes opposent l'argument de la vérité. Au sujet de leur roman *Germinie Lacerteux*, les frères Goncourt écrivent : « Le public aime les romans faux : ce roman est un roman vrai ; il aime les livres qui font semblant d'entrer dans le monde : ce livre vient de la rue[2]. »

Dans notre édition, *L'Ivrogne* de Maupassant (p. 67) relève en tout point de cette esthétique : dans son atrocité banale, cette nouvelle illustre l'intention réaliste de mettre au jour les méca-

---

1. Émile Zola, « Du roman, Le sens du réel », *Le Roman expérimental*, GF-Flammarion, 2006.

2. Préface de la première édition de *Germinie Lacerteux*, cité in *Dictionnaire culturel en langue française*, Robert, 2005, vol. 4, p. 7. Dans leur roman paru en 1865, les frères Goncourt donnent à voir la vie de leur domestique Rose Malingre dans ses moindres détails et sans idéalisation.

nismes de l'âme humaine, et notamment ceux qui conduisent au crime. L'auteur y fait preuve d'un art consommé de la description et du portrait, et l'effet de réel y est encore soutenu par la restitution scrupuleuse des parlures[1] paysannes et régionales des personnages. La noirceur frappante de cette nouvelle, la vision pessimiste de l'humanité qui s'y déploie permettent de la rattacher à la veine naturaliste qui se développe dans la seconde moitié du siècle.

La Peur d'Irène Némirovsky (p. 77), publiée dans les années 1930, s'inscrit dans cette tradition. D'ailleurs, si l'on en croit l'auteur, « la nouvelle, la vraie, la pure, n'a qu'une chose à faire : imiter Mérimée et suivre le fil à plomb[2] ». Pourtant le récit d'Irène Némirovsky propose un réalisme « adouci », plus indulgent, teinté de pathétique : ses personnages sont victimes des circonstances, grandes ou petites (la guerre, le brouillard), qui les dépassent et les condamnent.

Le plaisir fantastique de se perdre

Le réalisme ménage la surprise du lecteur, toujours stupéfait de constater combien une situation parfaitement ordinaire peut receler de réalités insoupçonnables. De même, les histoires fantastiques, tel *Le Portrait ovale* d'Edgar Allan Poe (p. 26), jouent elles aussi sur les ressorts de la surprise : au sein de l'expérience du réel le plus ordinaire, interviennent des éléments dont l'étrangeté jette le personnage (et le lecteur) dans les abîmes de la perplexité.

Les critiques se sont succédé pour tenter de décrire ce type de récit héritier du roman « gothique » des Anglais Horace Wal-

---

1. Une ***parlure*** est une façon de parler propre à une région.
2. Cité in Olivier Philipponnat et Patrick Lienhardt, *La Vie d'Irène Némirovsky*, Le Livre de Poche, 2009.

pole et Ann Radcliffe, et dont on voit souvent la première manifestation française dans *Le Diable amoureux* de Cazotte (1772)[1]. Toutes ces histoires ont en commun de s'inscrire dans le registre de l'étrange et d'installer une atmosphère inquiétante en mettant leurs personnages aux prises avec des événements perçus comme inexplicables.

Dans *Le Conte fantastique en France de Nodier à Maupassant*, le critique Pierre-Georges Castex est le premier à proposer la définition suivante, souvent reprise depuis : « une intrusion brutale du mystère dans le cadre de la vie réelle[2] ». « Brutale », en effet, car dans ce genre d'histoire le surnaturel « crée une rupture, une déchirure dans la trame de la réalité quotidienne[3] » : il est un élément perturbateur. La nature de cette « perturbation » a été analysée par Tzvetan Todorov, qui y voit une hésitation dans l'esprit du lecteur confronté au surgissement du surnaturel : doit-il « ramener ce phénomène à des causes connues [...] ou bien admettre l'existence du surnaturel ? [...] Le Fantastique dure le temps de cette incertitude...[4] ».

Le propre du récit fantastique est de maintenir cette incertitude en ne permettant pas au lecteur de trancher de façon catégorique entre rationnel et surnaturel : c'est ce trouble qui perdure après la lecture du *Portrait ovale* (p. 26), et que le juge Bermutier se complaît à prolonger dans l'esprit de ses auditeurs dans la nouvelle de Maupassant intitulée *La Main* (p. 34).

Pour sa part, dans la préface de sa célèbre anthologie[5], Roger Caillois propose de distinguer le merveilleux (des contes de fées)

---

1. Jacques Cazotte (1719-1792), écrivain français, auteur de nombreux récits évoquant le surnaturel (*Contes à dormir debout*, 1741).

2. Cité in Jean-Luc Steinmetz, *La Littérature fantastique*, PUF, 1990, p. 11.

3. *Ibid.*, p. 11.

4. Tzvetan Todorov, *Introduction à la littérature fantastique*, Seuil, coll. « Poétique », 1970, p. 165.

5. Roger Caillois, « De la féerie à la science-fiction », préface de l'*Anthologie de la littérature fantastique*, Gallimard, 1966.

et le fantastique, en soulignant que, dans les contes merveilleux (comme ceux de Grimm ou de Perrault), « le monde féerique et le monde réel s'interpénètrent sans heurt et sans conflit », c'est-à-dire que les événements magiques qui se produisent ne sont pas perçus comme surnaturels par les personnages. En 1925, le critique d'art allemand Franz Roh offre une variante à cette définition appliquée aux œuvres d'artistes du XXe siècle sous le nom de « réalisme magique[1] ».

Les peintres Giorgio De Chirico et André Derain, les écrivains Franz Kafka (*La Métamorphose*, 1933) et Marcel Aymé (*Le Passe-muraille*, 1943) tentent de superposer le magique au réel, à la manière des surréalistes pour qui le rêve est une composante naturelle de la vie. Dans ces œuvres, le fantastique étonne, mais le personnage et le lecteur s'y intéressent et s'en amusent comme d'un rêve éveillé. C'est le cas dans deux des nouvelles de notre édition : *La Disparition d'Honoré Subrac* (p. 46), de Guillaume Apollinaire, et *Le Veston ensorcelé* (p. 55), de Dino Buzzati, présentent des personnages qui, passé le premier mouvement de surprise, s'accommodent plus ou moins aisément d'événements pour le moins troublants.

Il est intéressant d'observer que les notions de fantastique, de merveilleux et de réalisme magique ont en commun de brouiller les frontières du possible et de l'impossible. Maupassant donne la clé de la réussite de ces histoires en mettant en évidence le plaisir que ce brouillage suscite chez le lecteur. Dans *La Main*, il écrit : « Plusieurs femmes s'étaient levées pour s'approcher et demeuraient debout, l'œil fixé sur la bouche rasée du magistrat d'où sortaient les paroles graves. Elles frissonnaient, vibraient, crispées par leur peur curieuse, par l'avide

---

1. Franz Roh, *Postexpressionnisme – Réalisme magique – Problèmes de la peinture européenne la plus récente* [1925], Presses du réel, 2009, p. 19.

et insatiable besoin d'épouvante qui hante leur âme, les torture comme une faim » (p. 34).

Postérité du genre : la nouvelle aujourd'hui

Le monde de la nouvelle n'est pas celui du conte

La critique contemporaine paraît avoir renoncé à donner de la nouvelle une définition univoque et définitive. Comme le souligne René Godenne, « il serait vain de tenter de réduire la nouvelle à un type de récit unique. La nouvelle française c'est tout à la fois un récit sérieux, grave, dramatique, et un récit plaisant, comique, [...] une histoire vraie, une histoire fantastique[1] ».

Toutefois, il semble qu'une clarification se soit opérée, notamment dans la distinction entre les mots « conte » et « nouvelle » : en effet, on réserve le plus souvent l'appellation « conte » aux histoires relevant du registre merveilleux ; cette distinction semble confirmée par des œuvres comme les *Contes du chat perché*[2], les *Contes de la rue Broca*[3], ou encore *188 Contes à régler*[4], qui investissent les domaines du conte animalier anthropomorphe, du conte de fées et de sorcières, du récit de science-

1. René Godenne, « La nouvelle française », art. cité, p. 111.
2. Les *Contes du chat perché* sont une série de contes écrits par Marcel Aymé et publiés entre 1934 et 1946.
3. Les *Contes de la rue Broca* sont une anthologie de contes merveilleux écrits par Pierre Gripari et publiés en 1967.
4. *188 Contes à régler*, de Jacques Sternberg, recueil de récits de science-fiction publié en 1988.

fiction. Dans cette redistribution des rôles, la nouvelle est le plus souvent le support de récits réalistes héritiers de la tradition du récit sensationnel (éventuellement criminel) ou porteurs d'un regard ou d'une réflexion sur le monde contemporain.

Mais plus encore, la réussite de la nouvelle au XXe siècle repose sur le succès international rencontré par certains auteurs américains, dans le registre fantastique en particulier : Richard Matheson, Dan Simmons, Roald Dahl et, bien sûr, Stephen King. Ces auteurs ont notamment cultivé le genre du « roman court » (*novella*, en anglais) et de la nouvelle proprement dite sous l'appellation *short story*[1]. Dans l'avant-propos de *L'Amour, la Mort*, Dan Simmons donne de la *novella* la définition suivante : « Ce genre de texte permet à l'auteur (et, avec de la chance, au lecteur) de s'imprégner du personnage, du cadre, du thème, en échappant aux intrigues annexes, aux personnages secondaires, à la rupture des chapitres et aux inévitables digressions qui obscurcissent l'atmosphère de tous les romans, sauf les plus parfaits[2]. »

La nouvelle à chute : une forme fixe

Ce plaidoyer pour un récit simple et efficace n'est pas nouveau. Il fait écho au travail de définition du genre qui, on l'a vu, a traversé le XIXe siècle sous l'influence d'Edgar Allan Poe et de Charles Baudelaire.

Évidemment, toutes les nouvelles contemporaines n'entrent pas dans ce schéma, mais la théorie de « l'intensité de l'effet »

---

1. Le règlement du prix Nebula, décerné chaque année par la Société des auteurs américains de science-fiction et de *fantasy*, distingue les catégories suivantes : *novel* (roman), plus de 40 000 mots ; *novella* (roman court), entre 17 500 et 40 000 mots ; *novelette* (nouvelle longue), entre 7 500 et 17 500 mots ; *short story* (nouvelle courte), moins de 7 500 mots.
2. Dan Simmons, *L'Amour, la Mort*, Albin Michel, 1995, p. 15.

trouve un achèvement parfait dans ce qu'il est convenu aujourd'hui d'appeler la « nouvelle à chute ». « Forme fixe » au sein d'un genre narratif aux contours mouvants, son efficacité repose sur la concision du récit, dont la fin ménage un puissant effet de surprise : la chute. Ce rebondissement final revêt souvent la forme d'une révélation inattendue qui réoriente brutalement le sens de l'histoire. À titre d'exemple souvent cité, la nouvelle de Maupassant intitulée *La Parure* met en scène une femme qui sacrifie toute sa vie à rembourser un bijou dont elle apprend finalement qu'il n'a aucune valeur. L'effet « couperet » que produit ce procédé garantit le succès de ce genre d'histoire en produisant chez le lecteur une émotion comparable à celle qui naît d'un coup de théâtre. Les récits de Fredric Brown (p. 83) et d'Annie Saumont (p. 89) sont de parfaites illustrations du genre de la nouvelle à chute qui véhicule une histoire dont la fin saisissante paraît avoir présidé à la structure et semble contenir à elle seule toute l'intention de l'auteur.

Mais au-delà de ces classifications formelles relevant de la critique littéraire, la nouvelle s'inscrit dans la définition que Jean-Paul Sartre donne de l'écriture : « Écrire, c'est [...] à la fois dévoiler le monde et le proposer comme une tâche à la générosité du lecteur[1]. » Les nouvelles fantastiques attestent la puissance et les limites des forces de l'esprit ; les nouvelles réalistes élucident les mystères du comportement humain par les moyens de l'observation et de la description. Pour leur part, les nouvelles à chute, à la fois codifiées et surprenantes, soulignent l'imprédictibilité des destinées humaines. Et chacune de ces histoires courtes – parente de l'anecdote mais transcendée par l'écriture – invite le lecteur à prendre conscience de la richesse et de la signification de chacun des épisodes de sa vie.

---

1. Jean-Paul Sartre, *Situations II*, Gallimard, 1948, p. 109.

Huit nouvelles saisissantes

Réunies en vertu d'une unité thématique commune – le crime –, les nouvelles de notre recueil ne sont pas des histoires policières au sens où elles ne font pas le récit d'une enquête minutieuse, menée par un détective fameux et aboutissant à la résolution d'un meurtre mystérieux. Elles s'attachent davantage aux circonstances étranges, inquiétantes, effrayantes, pathétiques, risibles qui conduisent au crime et entourent sa réalisation. Elles mettent l'accent sur le sentiment de peur qui s'empare des personnages ou des auditeurs et en orchestrent les affres, en ménageant par exemple un suspens insoutenable. Quant au crime lui-même, il peut revêtir diverses formes : spirituel et onirique chez Poe, d'une horreur terrifiante chez Maupassant, « magique » chez Buzzati et Apollinaire, dramatique chez Irène Némirovsky, froidement prémédité chez Brown et illusoire chez Annie Saumont.

Ainsi, sous la forme concentrée que la nouvelle donne au récit, et sous les espèces d'histoires fantastiques, merveilleuses ou réalistes, ce volume vous invite à la lecture de huit histoires de crimes aussi diverses que saisissantes.

La Peur
et autres récits

8 nouvelles fantastiques,
réalistes, à chute

Le Portrait ovale

Edgar Allan Poe

Edgar Poe est un écrivain, poète et critique littéraire américain, né à Boston (dans le Massachusetts, État du nord-est des États-Unis) en 1809. Très tôt orphelin, il est adopté et élevé par un riche négociant de la ville de Richmond (en Virginie, au sud du Massachusetts), John Allan. Il effectue une partie de ses études en Angleterre ; de retour à Richmond en 1822, il entre à l'université de Charlottesville où, d'après Baudelaire, il manifeste « une aptitude des plus remarquables pour les sciences physiques et mathématiques[1] ». Toutefois, en 1827, à la suite d'un différend avec sa famille adoptive, il s'engage dans l'armée où il ne tarde pas à monter en grade ; puis il est admis à West Point, la prestigieuse université militaire, qu'il quitte en 1831 avec l'intention de devenir journaliste. Il réside alors à Baltimore (dans le Maryland, État du nord-est des États-Unis), dans des conditions matérielles très précaires, chez sa tante Maria Clemm.

Des textes de critique littéraire qu'il parvient à publier lui attirent une certaine renommée et, en 1835, il obtient un poste de directeur au *Southern Literary Messenge*, journal littéraire de Baltimore.

En 1836, il épouse sa petite-cousine Virginia Clemm, alors âgée de treize ans.

Au cours des années suivantes, il change à plusieurs reprises d'employeurs et, chaque fois, attire le succès sur les divers journaux auxquels il collabore : il y publie, entre autres, ses textes de fiction *Les Aventures d'Arthur Gordon Pym* (1838), *La Chute de la maison Usher*, *Le Diable dans le beffroi* et *William Wilson* (1839), *Contes du grotesque et de l'arabesque* (1840).

---

1. Baudelaire, préface à sa traduction des *Histoires extraordinaires* de Poe (« Edgard Poe, sa vie, ses œuvres »), 1856.

Avec *Double Assassinat dans la rue Morgue*, publié en 1841, Edgar Allan Poe est considéré comme l'inventeur du roman policier. Influencé par le roman gothique anglais, il excelle aussi dans le récit fantastique, à la fois mystérieux et terrifiant, qui fascine le public et inspire bien des écrivains de son époque. Nul n'est allé aussi loin que lui dans cette « intensité de l'effet » qu'il a théorisée et que Baudelaire juge être son apport principal à la définition du genre[1].

Malgré le succès qu'il rencontre comme écrivain et comme pamphlétaire[2], il échoue plusieurs fois à créer son propre journal et sa situation financière se dégrade.

En 1847, Virginia décède à l'âge de vingt-quatre ans des suites d'une longue maladie durant laquelle Poe s'est mis à boire. Il souffre alors de crises de délire liées à l'alcool. Son talent est néanmoins célébré lors des lectures qu'il donne de ses poèmes tant à New York que dans les principales villes de Virginie où il est accueilli chaleureusement comme l'enfant du pays.

De passage à Baltimore en octobre 1849, il est ramassé inconscient sur la voie publique ; malgré les soins qui lui sont prodigués, il meurt peu après, le 7 octobre.

Véritable admirateur de Poe, Charles Baudelaire contribuera à le faire connaître en France en consacrant plusieurs années de sa vie à traduire les textes de l'écrivain américain au sujet duquel il indique : « Aucun homme [...] n'a raconté avec plus de magie les exceptions de la vie humaine et de la nature – l'absurde s'installant dans l'intelligence et la gouvernant avec une épouvantable logique[3]. »

---

1. Voir présentation, p. 11.

2. ***Pamphlétaire*** : auteur de pamphlets, courts écrits satiriques qui attaquent avec violence le gouvernement ou toute autre institution.

3. Préface de Charles Baudelaire à sa traduction des *Histoires extraordinaires* de Poe, 1856.

Le Portrait ovale

Le château dans lequel mon domestique s'était avisé de pénétrer de force, plutôt que de me permettre, déplorablement blessé comme je l'étais, de passer une nuit en plein air, était un de ces bâtiments, mélange de grandeur et de mélancolie, qui ont si
5 longtemps dressé leurs fronts sourcilleux[1] au milieu des Apennins[2], aussi bien dans la réalité que dans l'imagination de mistress Radcliffe[3]. Selon toute apparence, il avait été temporairement et tout récemment abandonné. Nous nous installâmes dans une des chambres les plus petites et les moins somptueuse-
10 ment[4] meublées. Elle était située dans une tour écartée du bâtiment. Sa décoration était riche, mais antique et délabrée. Les murs étaient tendus de tapisseries et décorés de nombreux trophées héraldiques[5] de toute forme, ainsi que d'une quantité vraiment prodigieuse de peintures modernes, pleines de style, dans
15 de riches cadres d'or d'un goût arabesque[6]. Je pris un profond intérêt – ce fut peut-être mon délire[7] qui commençait qui en fut cause –, je pris un profond intérêt à ces peintures qui étaient suspendues non seulement sur les faces principales des murs, mais aussi dans une foule de recoins que la bizarre architecture du
20 château rendait inévitables ; si bien que j'ordonnai à Pedro de fermer les lourds volets de la chambre – puisqu'il faisait déjà nuit –, d'allumer un grand candélabre[8] à plusieurs branches

---

1. ***Leurs fronts sourcilleux*** : leurs façades hautaines, impressionnantes.
2. ***Apennins*** : chaîne de montagnes qui traverse l'Italie dans toute sa longueur.
3. ***Mistress Radcliffe*** : Ann Radcliffe (1764-1823), écrivain anglais, auteur de romans d'épouvante, dits « gothiques ».
4. ***Somptueusement*** : luxueusement, richement.
5. ***Héraldiques*** : portant les emblèmes, le blason d'une famille noble.
6. ***D'un goût arabesque*** : dans le style arabe, oriental.
7. ***Délire*** : fièvre provoquée par la blessure du personnage.
8. ***Candélabre*** : grand chandelier à plusieurs branches, portant un grand nombre de bougies.

placé près de mon chevet, et d'ouvrir tout grands les rideaux de velours noir garnis de crépines[1] qui entouraient le lit. Je désirais
25 que cela fût ainsi, pour que je pusse au moins, si je ne pouvais pas dormir, me consoler alternativement par la contemplation de ces peintures et par la lecture d'un petit volume que j'avais trouvé sur l'oreiller et qui en contenait l'appréciation et l'analyse.

Je lus longtemps – longtemps; je contemplai religieusement,
30 dévotement[2]; les heures s'envolèrent, rapides et glorieuses, et le profond minuit arriva. La position du candélabre me déplaisait, et, étendant la main avec difficulté pour ne pas déranger mon valet assoupi, je plaçai l'objet de manière à jeter les rayons en plein sur le livre.

35 Mais l'action produisit un effet absolument inattendu. Les rayons des nombreuses bougies (car il y en avait beaucoup) tombèrent alors sur une niche[3] de la chambre que l'une des colonnes du lit avait jusque-là couverte d'une ombre profonde. J'aperçus dans une vive lumière une peinture qui m'avait d'abord échappé.
40 C'était le portrait d'une jeune fille déjà mûrissante et presque femme. Je jetai sur la peinture un coup d'œil rapide, et je fermai les yeux. Pourquoi – je ne le compris pas bien moi-même tout d'abord. Mais pendant que mes paupières restaient closes, j'analysai rapidement la raison qui me les faisait fermer ainsi. C'était
45 un mouvement involontaire pour gagner du temps et pour penser, pour m'assurer que ma vue ne m'avait pas trompé, pour calmer et préparer mon esprit à une contemplation plus froide et plus sûre. Au bout de quelques instants, je regardai de nouveau la peinture fixement.

50 Je ne pouvais pas douter, quand même je l'aurais voulu, que je n'y visse alors très nettement; car le premier éclair du flambeau sur cette toile avait dissipé la stupeur[4] rêveuse dont mes

---

1. ***Crépines*** : franges décoratives.
2. ***Dévotement*** : avec dévotion, avec une ferveur quasi religieuse.
3. ***Une niche*** : un renfoncement ménagé dans le mur.
4. ***Stupeur*** : ici, état de conscience proche du sommeil.

sens étaient possédés, et m'avait rappelé tout d'un coup à la vie réelle.

55 Le portrait, je l'ai déjà dit, était celui d'une jeune fille. C'était une simple tête, avec des épaules, le tout dans ce style qu'on appelle, en langage technique, style de vignette[1], beaucoup de la manière de Sully[2] dans ses têtes de prédilection[3]. Les bras, le sein, et même les bouts des cheveux rayonnants, se fondaient 60 insaisissablement dans l'ombre vague mais profonde qui servait de fond à l'ensemble. Le cadre était ovale, magnifiquement doré et guilloché[4] dans le goût moresque[5]. Comme œuvre d'art, on ne pouvait rien trouver de plus admirable que la peinture elle-même. Mais il se peut bien que ce ne fût ni l'exécution de 65 l'œuvre, ni l'immortelle beauté de la physionomie[6], qui m'impressionna si soudainement et si fortement. Encore moins devais-je croire que mon imagination, sortant d'un demi-sommeil, eût pris la tête pour celle d'une personne vivante. Je vis tout d'abord que les détails du dessin, le style de vignette, et l'aspect 70 du cadre auraient immédiatement dissipé un pareil charme, et m'auraient préservé de toute illusion même momentanée. Tout en faisant ces réflexions, et très vivement, je restai, à demi étendu, à demi assis, une heure entière peut-être, les yeux rivés à ce portrait. À la longue, ayant découvert le vrai secret de son 75 effet, je me laissai retomber sur le lit. J'avais deviné que le charme de la peinture était une expression vitale absolument adéquate à la vie elle-même, qui d'abord m'avait fait tressaillir, et finalement

1. ***Style de vignette*** : ici, désigne la façon de représenter un buste sur un fond de lumière travaillé en dégradé.

2. ***Thomas Sully*** (1783-1872) : artiste peintre américain, réputé pour ses portraits.

3. ***Têtes de prédilection*** : portraits, types de représentations que l'artiste affectionne particulièrement.

4. ***Guilloché*** : orné de traits gravés entrecroisés.

5. ***Dans le goût moresque*** : dans le style arabe, oriental.

6. ***La physionomie*** : l'ensemble des traits du visage de la jeune femme représentée

m'avait confondu[1], subjugué[2], épouvanté. Avec une terreur profonde et respectueuse, je replaçai le candélabre dans sa position
80 première. Ayant ainsi dérobé[3] à ma vue la cause de ma profonde agitation, je cherchai vivement le volume qui contenait l'analyse des tableaux et leur histoire. Allant droit au numéro qui désignait le portrait ovale, j'y lus le vague et singulier récit qui suit :

C'était une jeune fille d'une très rare beauté, et qui n'était pas
85 moins aimable[4] que pleine de gaieté. Et maudite fut l'heure où elle vit, et aima, et épousa le peintre. Lui, passionné, studieux, austère[5], et ayant déjà trouvé une épouse dans son Art ; elle, une jeune fille d'une très rare beauté, et non moins aimable que pleine de gaieté : rien que lumières et sourires, et la folâtrerie[6]
90 d'un jeune faon ; aimant et chérissant toutes choses ; ne haïssant que l'art qui était son rival[7] ; ne redoutant que la palette et les brosses, et les autres instruments fâcheux qui la privaient de la figure de son adoré. Ce fut une terrible chose pour cette dame que d'entendre le peintre parler du désir de peindre même sa
95 jeune épouse. Mais elle était humble et obéissante, et elle s'assit avec douceur pendant de longues semaines dans la sombre et haute chambre de la tour, où la lumière filtrait sur la pâle toile seulement par le plafond. Mais lui, le peintre, mettait sa gloire dans son œuvre, qui avançait d'heure en heure et de jour en jour.
100 Et c'était un homme passionné, et étrange, et pensif, qui se perdait en rêveries ; si bien qu'il ne voulait pas voir que la lumière qui tombait si lugubrement[8] dans cette tour isolée desséchait la santé et les esprits de sa femme, qui languissait visiblement[9]

1. ***Confondu*** : frappé d'étonnement, stupéfié.
2. ***Subjugué*** : fasciné, envoûté.
3. ***Dérobé*** : caché.
4. ***Aimable*** : agréable à l'œil, belle.
5. ***Austère*** : sérieux, sévère, entièrement tourné vers son art.
6. ***Folâtrerie*** : joyeuse légèreté.
7. La jeune fille en vient à haïr la peinture, parce que son mari lui consacre tout son temps.
8. ***Lugubrement*** : d'une façon profondément triste.
9. ***Qui languissait visiblement*** : qui s'affaiblissait à vue d'œil.

pour tout le monde, excepté pour lui. Cependant, elle souriait
105 toujours, et toujours sans se plaindre, parce qu'elle voyait que le peintre (qui avait un grand renom) prenait un plaisir vif et brûlant dans sa tâche, et travaillait nuit et jour pour peindre celle qui l'aimait si fort, mais qui devenait de jour en jour plus languissante et plus faible. Et, en vérité, ceux qui contemplaient le por-
110 trait parlaient à voix basse de sa ressemblance, comme d'une puissante merveille et comme d'une preuve non moins grande de la puissance du peintre que de son profond amour pour celle qu'il peignait si miraculeusement bien. Mais, à la longue, comme la besogne approchait de sa fin, personne ne fut plus
115 admis dans la tour; car le peintre était devenu fou par l'ardeur de son travail, et il détournait rarement ses yeux de la toile, même pour regarder la figure de sa femme. Et il ne voulait pas voir que les couleurs qu'il étalait sur la toile étaient tirées des joues de celle qui était assise près de lui. Et quand bien des
120 semaines furent passées et qu'il ne restait plus que peu de chose à faire, rien qu'une touche sur la bouche et un glacis[1] sur l'œil, l'esprit de la dame palpita encore comme la flamme dans le bec d'une lampe[2]. Et alors la touche fut donnée, et alors le glacis fut placé; et pendant un moment le peintre se tint en extase devant
125 le travail qu'il avait travaillé; mais une minute après, comme il contemplait encore, il trembla et il devint très pâle, et il fut frappé d'effroi; et criant d'une voix éclatante : «En vérité, c'est la Vie elle-même!» – il se retourna brusquement pour regarder sa bien-aimée; elle était morte!

Trad. Charles Baudelaire.

1. ***Glacis*** : vernis transparent.
2. ***Bec d'une lampe*** : orifice par lequel brûle la flamme d'une lampe à huile.

La Main

Guy de Maupassant

Guy de Maupassant est né le 5 août 1850 à Fécamp, ville de Normandie qui est à l'époque un important port de pêche, sur le littoral du pays de Caux. Au fil des pérégrinations familiales, Guy est élève au lycée Napoléon[1] à Paris, puis, après la séparation de ses parents, au petit séminaire d'Yvetot en Seine-Maritime, dont il est exclu pour avoir écrit des poèmes jugés inconvenants ; il obtient finalement son baccalauréat au lycée de Rouen, le 27 juillet 1869.

Il commence alors des études de droit, mais il est mobilisé pendant la guerre franco-allemande de 1870. Après la guerre, il obtient un emploi subalterne au ministère de la Marine, ce qui lui laisse le temps d'écrire des contes (guidé par Flaubert) et de fréquenter le milieu festif et artistique des canotiers d'Argenteuil. À partir de 1875, ses textes sont publiés dans des revues littéraires comme *Le Bulletin français* et *La République des Lettres*, plus tard dans *Gil Blas* et *Le Gaulois*.

En 1876, il commence à souffrir d'ennuis de santé qui le poursuivront jusqu'à sa mort : problèmes oculaires et cardiaques, violentes migraines et étouffements, dus à la syphilis[2]. En 1878, il quitte le ministère de la Marine pour celui de l'Instruction publique : il fréquente Flaubert, Zola, les frères Goncourt et, tout en effectuant de nombreux voyages, multiplie les publications. Il s'essaie à tous les genres – poésie, théâtre, écrits engagés –, mais c'est dans celui du conte (ou de la nouvelle) réaliste ou fantastique qu'il va rencontrer le succès et passer à la postérité comme l'un des plus grands écrivains de son siècle. Dans ce genre en particulier, il fera preuve d'une immense finesse d'ana-

---

1. Actuel lycée Henri-IV.

2. ***Syphilis*** : maladie sexuellement transmissible.

lyse qu'il mettra au service de la dénonciation des maux de son temps et des travers de la psychologie humaine.
En 1885, il publie les *Contes du jour et de la nuit*, qui contiennent *L'Ivrogne* (p. 67) et *La Main*. Il acquiert une remarquable aisance financière et multiplie les voyages, en Italie et en Angleterre, effectue des vols en ballon, achète un bateau qu'il baptise du titre de son roman *Bel-Ami*. En 1888, il publie *Pierre et Jean*, un court roman dont la préface expose sa vision théorique du réalisme. À partir de 1891, son état de santé ne lui permet plus d'écrire. Les dernières années de sa vie sont une longue agonie, jusqu'à son internement et sa mort le 6 juillet 1893.

La Main

On faisait cercle autour de M. Bermutier, juge d'instruction qui donnait son avis sur l'affaire mystérieuse de Saint-Cloud. Depuis un mois, cet inexplicable crime affolait Paris. Personne n'y comprenait rien.

5 M. Bermutier, debout, le dos à la cheminée, parlait, assemblait les preuves, discutait les diverses opinions, mais ne concluait pas.

Plusieurs femmes s'étaient levées pour s'approcher et demeuraient debout, l'œil fixé sur la bouche rasée du magistrat
10 d'où sortaient les paroles graves. Elles frissonnaient, vibraient, crispées par leur peur curieuse, par l'avide et insatiable[1] besoin d'épouvante qui hante leur âme, les torture comme une faim.

Une d'elles, plus pâle que les autres, prononça pendant un
15 silence :

«C'est affreux. Cela touche au "surnaturel[2]". On ne saura jamais rien.»

Le magistrat se tourna vers elle :

«Oui, madame, il est probable qu'on ne saura jamais rien.
20 Quand au mot "surnaturel" que vous venez d'employer, il n'a rien à faire ici. Nous sommes en présence d'un crime fort habilement conçu, fort habilement exécuté, si bien enveloppé de mystère que nous ne pouvons le dégager des circonstances impénétrables[3] qui l'entourent. Mais j'ai eu, moi, autrefois, à
25 suivre une affaire où vraiment semblait se mêler quelque chose de fantastique. Il a fallu l'abandonner, d'ailleurs, faute de moyens de l'éclaircir.»

1. ***Insatiable*** : ici, démesuré, sans borne.
2. ***Surnaturel*** : qui ne peut être expliqué par les lois naturelles connues.
3. ***Impénétrables*** : que l'on ne peut comprendre ou connaître.

Plusieurs femmes prononcèrent en même temps, si vite que leurs voix n'en firent qu'une :

30 «Oh ! dites-nous cela.»

M. Bermutier sourit gravement, comme doit sourire un juge d'instruction. Il reprit :

«N'allez pas croire, au moins, que j'aie pu, même un instant, supposer en cette aventure quelque chose de surhumain. Je ne 35 crois qu'aux causes normales. Mais si, au lieu d'employer le mot "surnaturel" pour exprimer ce que nous ne comprenons pas, nous nous servions simplement du mot "inexplicable", cela vaudrait beaucoup mieux. En tout cas, dans l'affaire que je vais vous dire, ce sont surtout les circonstances environnantes, les circon- 40 stances préparatoires qui m'ont ému. Enfin, voici les faits :

«J'étais alors juge d'instruction à Ajaccio[1], une petite ville blanche, couchée au bord d'un admirable golfe[2] qu'entourent partout de hautes montagnes.

«Ce que j'avais surtout à poursuivre[3] là-bas, c'étaient les 45 affaires de vendetta[4]. Il y en a de superbes, de dramatiques au possible, de féroces, d'héroïques. Nous retrouvons là les plus beaux sujets de vengeance qu'on puisse rêver, les haines séculaires[5], apaisées un moment, jamais éteintes, les ruses abominables, les assassinats devenant des massacres et presque des 50 actions glorieuses. Depuis deux ans, je n'entendais parler que du prix du sang[6], que de ce terrible préjugé corse qui force à venger

---

1. ***Ajaccio*** : ville située dans le sud de la Corse, bordée par la mer Méditerranée.
2. ***Golfe*** : vaste avancée de la mer à l'intérieur des terres.
3. ***Ce que j'avais [...] à poursuivre*** : les affaires pour lesquelles il me fallait engager des poursuites judiciaires.
4. ***Vendetta*** : mot corse qui désigne une tradition de vengeance sanglante entre les membres de deux familles ennemies.
5. ***Séculaires*** : d'un siècle au moins.
6. ***Prix du sang*** : «loi» de la vendetta, qui veut que celui qui a fait couler le sang paie son crime en mourant à son tour – lui-même ou l'un de ses proches.

toute injure sur la personne qui l'a faite, sur ses descendants et ses proches. J'avais vu égorger des vieillards, des enfants, des cousins, j'avais la tête pleine de ces histoires.

55 «Or, j'appris un jour qu'un Anglais venait de louer pour plusieurs années une petite villa au fond du golfe. Il avait amené avec lui un domestique français, pris à Marseille en passant.

«Bientôt tout le monde s'occupa de ce personnage singulier, qui vivait seul dans sa demeure, ne sortant que pour chasser et 60 pour pêcher. Il ne parlait à personne, ne venait jamais à la ville, et, chaque matin, s'exerçait pendant une heure ou deux à tirer au pistolet et à la carabine.

«Des légendes se firent autour de lui. On prétendit que c'était un haut personnage fuyant sa patrie pour des raisons politiques; 65 puis on affirma qu'il se cachait après avoir commis un crime épouvantable. On citait même des circonstances particulièrement horribles.

«Je voulus, en ma qualité de juge d'instruction, prendre quelques renseignements sur cet homme; mais il me fut impos- 70 sible de rien apprendre. Il se faisait appeler sir John Rowell.

«Je me contentai donc de le surveiller de près; mais on ne me signalait, en réalité, rien de suspect à son égard.

«Cependant, comme les rumeurs sur son compte continuaient, grossissaient, devenaient générales, je résolus d'essayer 75 de voir moi-même cet étranger, et je me mis à chasser régulièrement dans les environs de sa propriété.

«J'attendis longtemps une occasion. Elle se présenta enfin sous la forme d'une perdrix que je tirai et que je tuai devant le nez de l'Anglais. Mon chien me la rapporta; mais, prenant aussi- 80 tôt le gibier, j'allai m'excuser de mon inconvenance[1] et prier sir John Rowell d'accepter l'oiseau mort.

---

1. ***Inconvenance*** : impolitesse.

«C'était un grand homme à cheveux rouges[1], à barbe rouge, très haut, très large, une sorte d'hercule[2] placide[3] et poli. Il n'avait rien de la raideur dite britannique et il me remercia vivement de ma délicatesse en un français accentué d'outre-Manche[4]. Au bout d'un mois, nous avions causé ensemble cinq ou six fois.

«Un soir enfin, comme je passais devant sa porte, je l'aperçus qui fumait sa pipe, à cheval sur une chaise, dans son jardin. Je le saluai, et il m'invita à entrer pour boire un verre de bière. Je ne me le fis pas répéter.

«Il me reçut avec toute la méticuleuse[5] courtoisie anglaise, parla avec éloge[6] de la France, de la Corse, déclara qu'il aimait beaucoup *cette*[7] pays, *cette* rivage.

«Alors je lui posai, avec de grandes précautions et sous la forme d'un intérêt très vif, quelques questions sur sa vie, sur ses projets. Il répondit sans embarras, me raconta qu'il avait beaucoup voyagé, en Afrique, dans les Indes, en Amérique. Il ajouta en riant :

«"J'avé eu bôcoup d'aventures, oh! yes."

«Puis je me remis à parler chasse, et il me donna des détails les plus curieux sur la chasse à l'hippopotame, au tigre, à l'éléphant et même la chasse au gorille.

«Je dis :

---

1. ***Cheveux rouges*** : ici, cheveux roux.
2. ***Une sorte d'hercule*** : un homme à la corpulence impressionnante, par référence au personnage de la mythologie romaine Hercule (Héraclès chez les Grecs), connu pour les nombreux exploits qu'il accomplit, notamment les Douze travaux. Le procédé stylistique employé par Maupassant, consistant à utiliser un nom propre comme un nom commun, s'appelle «antonomase».
3. ***Placide*** : doux et calme.
4. ***D'outre-Manche*** : du pays situé de l'autre côté de la Manche, c'est-à-dire de Grande-Bretagne.
5. ***Méticuleuse*** : précise, attentive au moindre détail.
6. ***Éloge*** : jugement favorable.
7. ***Cette pays*** : au lieu de *ce* pays; le narrateur transcrit les incorrections que commet le personnage anglais lorsqu'il parle français.

105 «“Tous ces animaux sont redoutables.”

«Il sourit :

«“Oh! nô, le plus mauvais c'été l'homme.”

«Il se mit à rire tout à fait, d'un bon rire de gros Anglais content :

110 «“J'avé beaucoup chassé l'homme aussi.”

«Puis il parla d'armes, et il m'offrit d'entrer chez lui pour me montrer des fusils de divers systèmes[1].

«Son salon était tendu de noir, de soie noire brodée d'or. De grandes fleurs jaunes couraient sur l'étoffe sombre, brillaient 115 comme du feu.

«Il annonça :

«“C'été une drap japonaise.”

«Mais, au milieu du plus large panneau[2], une chose étrange me tira l'œil. Sur un carré de velours rouge, un objet noir se déta-120 chait. Je m'approchai : c'était une main, une main d'homme. Non pas une main de squelette, blanche et propre, mais une main noire desséchée, avec les ongles jaunes, les muscles à nu et des traces de sang ancien, de sang pareil à une crasse[3], sur les os coupés net, comme d'un coup de hache, vers le milieu de 125 l'avant-bras.

«Autour du poignet, une énorme chaîne de fer, rivée, soudée à ce membre malpropre, l'attachait au mur par un anneau assez fort pour tenir un éléphant en laisse.

«Je demandai :

130 «“Qu'est-ce que cela?”

«L'Anglais répondit tranquillement :

«“C'été ma meilleur ennemi. Il vené d'Amérique. Il avé été fendu avec le sabre et arraché la peau avec une caillou coupante, et séché dans le soleil pendant huit jours. Aoh, très bonne pour 135 moi, cette.”

---

1. ***Systèmes*** : mécanismes.
2. ***Panneau*** : pan, partie de mur recouverte par la tapisserie de soie.
3. ***Crasse*** : couche de saleté.

«Je touchai ce débris humain qui avait dû appartenir à un colosse. Les doigts, démesurément longs, étaient attachés par des tendons énormes que retenaient des lanières de peau par places. Cette main était affreuse à voir, écorchée[1] ainsi, elle faisait penser naturellement à quelque vengeance de sauvage.

«Je dis :

«“Cet homme devait être très fort.”

«L'Anglais prononça avec douceur :

«“Aoh yes; mais je été plus fort que lui. J'avé mis cette chaîne pour le tenir.”

«Je crus qu'il plaisantait. Je dis :

«“Cette chaîne maintenant est bien inutile, la main ne se sauvera pas.”

«Sir John Rowell reprit gravement :

«“Elle voulé toujours s'en aller. Cette chaîne été nécessaire.”

«D'un coup d'œil rapide j'interrogeai son visage, me demandant :

«“Est-ce un fou, ou un mauvais plaisant?”

«Mais la figure demeurait impénétrable, tranquille et bienveillante. Je parlai d'autre chose et j'admirai les fusils.

«Je remarquai cependant que trois revolvers chargés étaient posés sur les meubles, comme si cet homme eût vécu dans la crainte constante d'une attaque.

«Je revins plusieurs fois chez lui. Puis je n'y allai plus. On s'était accoutumé à sa présence; il était devenu indifférent à tous.»

*

«Une année entière s'écoula. Or, un matin, vers la fin de novembre, mon domestique me réveilla en m'annonçant que sir John Rowell avait été assassiné dans la nuit.

---

1. ***Écorchée*** : privée de sa peau, qu'on a enlevée.

165 «Une demi-heure plus tard, je pénétrais dans la maison de l'Anglais avec le commissaire central et le capitaine de gendarmerie. Le valet, éperdu[1] et désespéré, pleurait devant la porte. Je soupçonnai d'abord cet homme, mais il était innocent.

«On ne put jamais trouver le coupable.

170 «En entrant dans le salon de sir John, j'aperçus du premier coup d'œil le cadavre étendu sur le dos, au milieu de la pièce.

«Le gilet était déchiré, une manche arrachée pendait, tout annonçait qu'une lutte terrible avait eu lieu.

«L'Anglais était mort étranglé! Sa figure noire et gonflée, 175 effrayante, semblait exprimer une épouvante abominable; il tenait entre ses dents serrées quelque chose; et le cou, percé de cinq trous qu'on aurait dits faits avec des pointes de fer, était couvert de sang.

«Un médecin nous rejoignit. Il examina longtemps les traces 180 des doigts dans la chair et prononça ces étranges paroles :

«"On dirait qu'il a été étranglé par un squelette."

«Un frisson me passa dans le dos, et je jetai les yeux sur le mur, à la place où j'avais vu jadis l'horrible main d'écorché. Elle n'y était plus. La chaîne, brisée, pendait.

185 «Alors je me baissai vers le mort, et je trouvai dans sa bouche crispée un des doigts de cette main disparue, coupé ou plutôt scié par les dents juste à la deuxième phalange.

«Puis on procéda aux constatations. On ne découvrit rien. Aucune porte n'avait été forcée, aucune fenêtre, aucun meuble. 190 Les deux chiens de garde ne s'étaient pas réveillés.

«Voici, en quelques mots, la déposition du domestique :

«Depuis un mois, son maître semblait agité. Il avait reçu beaucoup de lettres, brûlées à mesure.

«Souvent, prenant une cravache, dans une colère qui semblait 195 de démence, il avait frappé avec fureur cette main séchée, scellée[2] au mur et enlevée, on ne sait comment, à l'heure même du crime.

---

1. ***Éperdu*** : profondément troublé.
2. ***Scellée*** : ici, fixée.

«Il se couchait fort tard et s'enfermait avec soin. Il avait toujours des armes à portée du bras. Souvent, la nuit, il parlait haut, comme s'il se fût querellé avec quelqu'un.

200 «Cette nuit-là, par hasard, il n'avait fait aucun bruit, et c'est seulement en venant ouvrir les fenêtres que le serviteur avait trouvé sir John assassiné. Il ne soupçonnait personne.

«Je communiquai ce que je savais du mort aux magistrats et aux officiers de la force publique, et on fit dans toute l'île une 205 enquête minutieuse. On ne découvrit rien.

«Or, une nuit, trois mois après le crime, j'eus un affreux cauchemar. Il me sembla que je voyais la main, l'horrible main, courir comme un scorpion ou comme une araignée le long de mes rideaux et de mes murs. Trois fois, je me réveillai, trois fois 210 je me rendormis, trois fois je revis le hideux[1] débris galoper autour de ma chambre en remuant les doigts comme des pattes.

«Le lendemain, on me l'apporta, trouvé dans le cimetière, sur la tombe de sir John Rowell, enterré là; car on n'avait pu découvrir sa famille. L'index manquait.

215 «Voilà, mesdames, mon histoire. Je ne sais rien de plus.»

Les femmes, éperdues, étaient pâles, frissonnantes. Une d'elles s'écria :

«Mais ce n'est pas un dénouement cela, ni une explication! Nous n'allons pas dormir si vous ne nous dites pas ce qui s'était 220 passé, selon vous.»

Le magistrat sourit avec sévérité :

«Oh! moi, mesdames, je vais gâter, certes, vos rêves terribles. Je pense tout simplement que le légitime propriétaire de la main n'était pas mort, qu'il est venu la chercher avec celle qui lui res-225 tait. Mais je n'ai pu savoir comment il a fait, par exemple. C'est là une sorte de vendetta.»

Une des femmes murmura :

---

1. ***Hideux*** : affreux.

«Non, ça ne doit pas être ainsi.»

Et le juge d'instruction, souriant toujours, conclut :

230 «Je vous avais bien dit que mon explication ne vous irait pas.»

La Disparition d'Honoré Subrac

Guillaume Apollinaire

Guillaume Apollinaire (Guglielmus Apollinaris de Kostrowitzky, dit) est un poète et écrivain français d'origine polonaise, né le 25 août 1880, à Rome.

Il est successivement élève dans un collège religieux situé à Monaco puis dans un lycée à Cannes et un autre à Nice, mais il échoue au baccalauréat. En 1899, il s'installe à Paris et travaille comme commissionnaire[1] dans une banque tout en prêtant sa plume de façon anonyme à plusieurs écrivains.

En 1901, il est engagé comme précepteur[2] français pour la fille d'Élinor Hölterhoff, vicomtesse de Milhau : lors d'un long voyage en Allemagne où il suit sa jeune élève Gabrielle et sa mère dans leur famille, il s'éprend de la gouvernante anglaise de Gabrielle, Annie Playden. De retour à Paris, il publie des poèmes dans des revues littéraires (*La Revue blanche*, *La Plume*). Il trouve une place d'employé de banque. En 1903, Annie Playden refuse de l'épouser et il perd son travail à la suite de la faillite de sa banque.

Il décroche un poste de rédacteur en chef dans un journal économique et fréquente les milieux artistiques où il fait la connaissance des peintres Pablo Picasso et André Derain, et du poète Max Jacob. Fasciné par la modernité de ces artistes, il s'intéressera particulièrement aux expériences du cubisme[3] en peinture.

---

1. ***Commissionnaire*** : intermédiaire qui fait des opérations pour le compte d'une société (ici, une banque).
2. ***Précepteur*** : personne chargée de l'éducation, de l'instruction d'un enfant qui ne fréquente pas l'école.
3. ***Cubisme*** : mouvement artistique initié par Pablo Picasso à partir de 1907, qui se propose de représenter les objets décomposés en éléments géométriques (proches du cube) sans restituer leur perspective.

En 1907, il se lie avec l'aquarelliste Marie Laurencin et commence à vivre de sa plume en publiant des récits érotiques comme *Les Exploits d'un jeune don Juan*. Par ailleurs, il collabore aux éditions Briffaud en tant que préfacier. En octobre 1910, il publie le recueil de nouvelles intitulé *L'Hérésiarque et Cie*, qui contient le récit *La Disparition d'Honoré Subrac*. Il confirme son adhésion aux évolutions artistiques de son époque dans les articles de critique qu'il publie au sein de la revue *L'Intransigeant*.

En 1912, il est très affecté par sa rupture avec Marie Laurencin qui lui inspirera les vers suivants dans le poème « Zone », tiré du recueil *Alcools* (1913) : « Tu as souffert de l'amour à vingt et à trente ans/ J'ai vécu comme un fou et j'ai perdu mon temps. »

Engagé dans l'artillerie au cours de la Première Guerre mondiale, il est blessé à la tête en 1916, hospitalisé, trépané[1] et rendu à la vie civile avec les honneurs militaires. Il publie alors un second recueil de contes : *Le Poète assassiné*.

Ses travaux de critique d'art et sa passion pour la modernité le conduisent à inventer l'expression « esprit nouveau » pour qualifier son époque. Il se passionne notamment pour l'art africain. Il est alors le sujet de l'admiration d'une génération de jeunes artistes : Pierre Reverdy, André Breton, Jean Cocteau, Tristan Tzara – à tel point qu'il sera considéré comme un précurseur du surréalisme[2] en littérature. En 1918, il assiste au mariage de Pablo Picasso avec la danseuse russe Olga Koklova ; il tombe malade et meurt de la grippe espagnole le 9 novembre.

---

1. ***Trépané*** : qui a subi une opération consistant à ouvrir la boîte crânienne.

2. ***Surréalisme*** : mouvement poétique et plastique né en 1919 (*Les Champs magnétiques* d'André Breton et Philippe Soupault) et qui, sous l'égide d'André Breton (1896-1966), a réuni des poètes (Louis Aragon, Benjamin Péret, Paul Eluard, Robert Desnos), des essayistes (Georges Bataille, Antonin Artaud), des peintres (André Masson, Man Ray, Max Ernst). Il privilégie les jeux de l'imaginaire et du langage, la révolte contre les conventions, le goût de l'insolite. Après une histoire très compliquée, faite de ralliements et de ruptures, d'emballements et de désaccords sur les plans philosophique, esthétique et politique, ce mouvement prendra fin en 1969.

La Disparition d'Honoré Subrac

En dépit des recherches les plus minutieuses, la police n'est pas arrivée à élucider le mystère de la disparition d'Honoré Subrac.

Il était mon ami, et comme je connaissais la vérité sur son cas, je me fis un devoir de mettre la justice au courant de ce qui s'était passé. Le juge qui recueillit mes déclarations prit avec moi, après avoir écouté mon récit, un ton de politesse si épouvantée que je n'eus aucune peine à comprendre qu'il me prenait pour un fou. Je le lui dis. Il devint plus poli encore, puis, se levant, il me poussa vers la porte, et je vis son greffier[1], debout, les poings serrés, prêt à sauter sur moi si je faisais le forcené[2].

Je n'insistai pas. Le cas d'Honoré Subrac est, en effet, si étrange que la vérité paraît incroyable. On a appris par les récits des journaux que Subrac passait pour un original. L'hiver comme l'été, il n'était vêtu que d'une houppelande[3] et n'avait aux pieds que des pantoufles. Il était fort riche, et comme sa tenue m'étonnait, je lui en demandai un jour la raison :

« C'est pour être plus vite dévêtu, en cas de nécessité, me répondit-il. Au demeurant, on s'accoutume vite à sortir peu vêtu. On se passe fort bien de linge, de bas et de chapeau. Je vis ainsi depuis l'âge de vingt-cinq ans et je n'ai jamais été malade. »

Ces paroles, au lieu de m'éclairer, aiguisèrent ma curiosité.

« Pourquoi donc, pensai-je, Honoré Subrac a-t-il besoin de se dévêtir si vite ? »

Et je faisais un grand nombre de suppositions…

*

1. ***Greffier*** : fonctionnaire qui assure le secrétariat d'un tribunal.
2. ***Forcené*** : fou furieux.
3. ***Houppelande*** : long manteau à manches évasées.

Une nuit que je rentrais chez moi – il pouvait être une heure, une heure un quart – j'entendis mon nom prononcé à voix basse. Il me parut venir de la muraille que je frôlais. Je m'arrêtai, désagréablement surpris.

30 «N'y a-t-il plus personne dans la rue? reprit la voix. C'est moi, Honoré Subrac.

– Où êtes-vous donc? m'écriai-je, en regardant de tous côtés sans parvenir à me faire une idée de l'endroit où mon ami pouvait se cacher.»

35 Je découvris seulement sa fameuse houppelande gisant sur le trottoir, à côté de ses non moins fameuses pantoufles.

«Voilà un cas, pensai-je, où la nécessité a forcé Honoré Subrac à se dévêtir en un clin d'œil. Je vais enfin connaître un beau mystère.»

40 Et je dis à haute voix :

«La rue est déserte, cher ami, vous pouvez apparaître.»

Brusquement, Honoré Subrac se détacha en quelque sorte de la muraille contre laquelle je ne l'avais pas aperçu. Il était complètement nu et, avant tout, il s'empara de sa houppelande qu'il 45 endossa et boutonna le plus vite qu'il put. Il se chaussa ensuite et, délibérément, me parla en m'accompagnant jusqu'à ma porte.

*

«Vous avez été étonné! dit-il, mais vous comprenez maintenant la raison pour laquelle je m'habille avec tant de bizarrerie. 50 Et cependant vous n'avez pas compris comment j'ai pu échapper aussi complètement à vos regards. C'est bien simple. Il ne faut voir là qu'un phénomène de mimétisme[1]… La nature est une bonne mère. Elle a départi[2] à ceux de ses enfants que des

1. ***Mimétisme*** : capacité qu'ont certains animaux de changer d'apparence pour se fondre dans le milieu qui les environne.

2. ***Départi*** : donné en partage.

dangers menacent, et qui sont trop faibles pour se défendre, le
55 don de se confondre avec ce qui les entoure... Mais, vous connaissez tout cela. Vous savez que les papillons ressemblent aux fleurs, que certains insectes sont semblables à des feuilles, que le caméléon peut prendre la couleur qui le dissimule le mieux, que le lièvre polaire est devenu blanc comme les glaciales
60 contrées où, couard[1] autant que celui de nos guérets[2], il détale presque invisible.

«C'est ainsi que ces faibles animaux échappent à leurs ennemis par une ingéniosité instinctive qui modifie leur aspect.

«Et moi, qu'un ennemi poursuit sans cesse, moi, qui suis peu-
65 reux et qui me sens incapable de me défendre dans une lutte, je suis semblable à ces bêtes : je me confonds à volonté et par terreur avec le milieu ambiant.

«J'ai exercé pour la première fois cette faculté instinctive, il y a un certain nombre d'années déjà. J'avais vingt-cinq ans, et,
70 généralement, les femmes me trouvaient avenant[3] et bien fait. L'une d'elles, qui était mariée, me témoigna tant d'amitié que je ne sus point résister. Fatale liaison!... Une nuit, j'étais chez ma maîtresse. Son mari, soi-disant, était parti pour plusieurs jours. Nous étions nus comme des divinités, lorsque la porte s'ouvrit
75 soudain, et le mari apparut un revolver à la main. Ma terreur fut indicible[4], et je n'eus qu'une envie, lâche que j'étais et que je suis encore : celle de disparaître. M'adossant au mur, je souhaitai me confondre avec lui. Et l'événement imprévu se réalisa aussitôt. Je devins de la couleur du papier de tenture, et mes membres s'apla-
80 tissant dans un étirement volontaire et inconcevable, il me parut que je faisais corps avec le mur et que personne désormais ne me voyait. C'était vrai. Le mari me cherchait pour me faire mourir.

1. ***Couard*** : peureux.
2. ***Guérets*** : champs labourés.
3. ***Avenant*** : aimable.
4. ***Indicible*** : indescriptible, inexprimable.

Il m'avait vu, et il était impossible que je me fusse enfui. Il devint comme fou, et, tournant sa rage contre sa femme, il la tua sauva-
85 gement en lui tirant six coups de revolver dans la tête. Il s'en alla ensuite, pleurant désespérément. Après son départ, instinctivement, mon corps reprit sa forme normale et sa couleur naturelle. Je m'habillai, et parvins à m'en aller avant que personne ne fût venu... Cette bienheureuse faculté, qui ressortit au mimétisme, je
90 l'ai conservée depuis. Le mari, ne m'ayant pas tué, a consacré son existence à l'accomplissement de cette tâche. Il me poursuit depuis longtemps à travers le monde, et je pensais lui avoir échappé en venant habiter à Paris. Mais, j'ai aperçu cet homme, quelques instants avant votre passage. La terreur me faisait cla-
95 quer les dents. Je n'ai eu que le temps de me dévêtir et de me confondre avec la muraille. Il a passé près de moi, regardant curieusement cette houppelande et ces pantoufles abandonnées sur le trottoir. Vous voyez combien j'ai raison de m'habiller sommairement. Ma faculté mimétique ne pourrait pas s'exercer si
100 j'étais vêtu comme tout le monde. Je ne pourrais pas me déshabiller assez vite pour échapper à mon bourreau, et il importe, avant tout, que je sois nu, afin que mes vêtements, aplatis contre la muraille, ne rendent pas inutile ma disparition défensive. »

Je félicitai Subrac d'une faculté dont j'avais les preuves et que
105 je lui enviais...

*

Les jours suivants, je ne pensai qu'à cela et je me surprenais, à tout propos, tendant ma volonté dans le but de modifier ma forme et ma couleur. Je tentai de me changer en autobus, en tour Eiffel, en académicien, en gagnant du gros lot. Mes efforts furent
110 vains. Je n'y étais pas. Ma volonté n'avait pas assez de force, et puis il me manquait cette sainte terreur, ce formidable danger qui avait réveillé les instincts d'Honoré Subrac...

*

Je ne l'avais point vu depuis quelque temps, lorsqu'un jour, il arriva affolé :

115 « Cet homme, mon ennemi, me dit-il, me guette partout. J'ai pu lui échapper trois fois en exerçant ma faculté, mais j'ai peur, j'ai peur, cher ami. »

Je vis qu'il avait maigri, mais je me gardai de le lui dire.

« Il ne vous reste qu'une chose à faire, déclarai-je. Pour échap-120 per à un ennemi aussi impitoyable : partez ! Cachez-vous dans un village. Laissez-moi le soin de vos affaires et dirigez-vous vers la gare la plus proche. »

Il me serra la main en disant :

« Accompagnez-moi, je vous en supplie, j'ai peur ! »

*

125 Dans la rue, nous marchâmes en silence. Honoré Subrac tournait constamment la tête, d'un air inquiet. Tout à coup, il poussa un cri et se mit à fuir en se débarrassant de sa houppelande et de ses pantoufles. Et je vis qu'un homme arrivait derrière nous en courant. J'essayai de l'arrêter. Mais il m'échappa. Il 130 tenait un revolver qu'il braquait dans la direction d'Honoré Subrac. Celui-ci venait d'atteindre un long mur de caserne et disparut comme par enchantement.

L'homme au revolver s'arrêta, stupéfait, poussant une exclamation de rage, et, comme pour se venger du mur qui semblait 135 lui avoir ravi sa victime, il déchargea son revolver sur le point où Honoré Subrac avait disparu. Il s'en alla ensuite en courant...

Des gens se rassemblèrent, des sergents de ville vinrent les disperser. Alors j'appelai mon ami. Mais il ne me répondit pas.

Je tâtai la muraille, *elle était encore tiède*, et je remarquai que, 140 des six balles de revolver, trois avaient frappé à la hauteur *d'un cœur d'homme*, tandis que les autres avaient éraflé le plâtre, plus haut, là où il me sembla distinguer, vaguement, les contours d'un visage.

Le Veston ensorcelé

Dino Buzzati

Dino Buzzati est un journaliste, peintre et écrivain italien né le 16 octobre 1906 à San Pellegrino di Belluno, en Vénétie[1], et mort le 28 janvier 1972 à Milan.

Après des études de droit à l'université de Milan, il est embauché en 1928 comme correcteur dans le grand journal milanais *Il Corriere della sera*, où il exerce jusqu'à la fin de ses jours des fonctions successives de rédacteur en chef, de grand reporter et de critique d'art. Pendant la Seconde Guerre mondiale, ses activités de chroniqueur de guerre pour ce journal lui inspirent le roman qui va lui assurer une notoriété internationale : *Le Désert des Tartares* (1942).

Ses récits fantastiques relèvent du réalisme magique (voir présentation, p. 16), qui met en évidence l'influence de l'imaginaire sur la vie réelle. Inspirée par les auteurs existentialistes[2] français comme Jean-Paul Sartre et Albert Camus, son œuvre livre souvent une réflexion désabusée, voire pessimiste, sur la condition humaine.

Les thèmes de la mort, de l'écoulement irréversible du temps, de l'emprise de la routine parcourent ses textes comme autant de formes de la peur du vide.

C'est cette dernière qui conduit le personnage de notre nouvelle à remplir sa vie de tous les biens matériels dont on peut faire l'acquisition, avant de replonger inéluctablement dans la tristesse de son quotidien banal.

---

1. ***Vénétie*** : région du nord-est de l'Italie dont la capitale est Venise.

2. L'***existentialisme*** est un courant philosophique et littéraire qui postule que l'« existence précède l'essence », selon la formule de Jean-Paul Sartre, c'est-à-dire que l'être humain forme, par les propres actes qu'il accomplit, l'essence – la nature intime, profonde – de sa vie (par opposition à ceux qui pensent l'existence prédéterminée, par exemple par l'action divine).

Le Veston ensorcelé

Bien que j'apprécie l'élégance vestimentaire, je ne fais guère attention, habituellement, à la perfection plus ou moins grande avec laquelle sont coupés les complets[1] de mes semblables.

Un soir pourtant, lors d'une réception dans une maison de 5 Milan, je fis la connaissance d'un homme qui paraissait avoir la quarantaine et qui resplendissait littéralement à cause de la beauté linéaire, pure, absolue de son vêtement.

Je ne savais pas qui c'était, je le rencontrais pour la première fois et pendant la présentation, comme cela arrive toujours, il 10 m'avait été impossible d'en comprendre le nom. Mais à un certain moment de la soirée je me trouvai près de lui et nous commençâmes à bavarder. Il semblait être un homme poli et fort civil[2] avec toutefois un soupçon de tristesse. Avec une familiarité peut-être exagérée – si seulement Dieu m'en avait préservé ! – je 15 lui fis compliments pour son élégance ; et j'osai même lui demander qui était son tailleur.

L'homme eut un curieux petit sourire, comme s'il s'était attendu à cette question.

« Presque personne ne le connaît, dit-il, et pourtant c'est un 20 grand maître. Mais il ne travaille que lorsque ça lui chante. Pour quelques clients seulement.

– De sorte que moi... ?

– Oh ! Vous pouvez essayer, vous pouvez toujours. Il s'appelle Corticella, Alfonso Corticella, rue Ferrara au 17.

25 – Il doit être très cher, j'imagine.

– Je le pense, oui, mais à vrai dire je n'en sais rien. Ce costume, il me l'a fait il y a trois ans et il ne m'a pas encore envoyé sa note.

---

1. ***Les complets*** : les costumes trois pièces, c'est-à-dire pantalon, gilet et veste.
2. ***Civil*** : courtois, de bonne compagnie.

– Corticella ? Rue Ferrara, au 17, vous avez dit ?

30 – Exactement», répondit l'inconnu.

Et il me planta là pour se mêler à un autre groupe.

Au 17 de la rue Ferrara, je trouvai une maison comme tant d'autres, et le logis d'Alfonso Corticella ressemblait à celui des autres tailleurs. Il vint en personne m'ouvrir la porte. C'était un 35 petit vieillard aux cheveux noirs qui étaient sûrement teints.

À ma grande surprise, il ne fit aucune difficulté. Au contraire, il paraissait désireux de me voir devenir son client. Je lui expliquai comment j'avais eu son adresse, je louai[1] sa coupe et lui demandai de me faire un complet. Nous choisîmes un peigné[2] 40 gris puis il prit mes mesures et s'offrit de venir pour l'essayage chez moi. Je lui demandai son prix. Cela ne pressait pas, me répondit-il, nous nous mettrions toujours d'accord. Quel homme sympathique ! pensai-je tout d'abord. Et pourtant plus tard, comme je rentrai chez moi, je m'aperçus que le petit vieux 45 avait produit sur moi un malaise (peut-être à cause de ses sourires trop insistants et trop doucereux[3]). En somme je n'avais aucune envie de le revoir. Mais désormais le complet était commandé. Et quelque vingt jours plus tard il était prêt.

Quand on me le livra, je l'essayai, pour quelques secondes, 50 devant mon miroir. C'était un chef-d'œuvre. Mais je ne sais trop pourquoi, peut-être à cause du souvenir du déplaisant petit vieux, je n'avais aucune envie de le porter. Et des semaines passèrent avant que je me décide.

Ce jour-là, je m'en souviendrai toujours. C'était un mardi 55 d'avril et il pleuvait. Quand j'eus passé mon complet – pantalon, gilet et veston – je constatai avec plaisir qu'il ne me tiraillait pas et ne me gênait pas aux entournures[4] comme le font toujours les vêtements neufs. Et pourtant il tombait à la perfection[5].

---

1. ***Louai*** : fis l'éloge de.
2. ***Peigné*** : tissu de laine peignée.
3. ***Doucereux*** : d'une douceur artificielle, et donc suspecte.
4. ***Ne me gênait pas aux entournures*** : n'était pas inconfortable.
5. ***Il tombait à la perfection*** : il était parfaitement coupé.

Par habitude je ne mets rien dans la poche droite de mon veston, mes papiers, je les place dans la poche gauche. Ce qui explique pourquoi ce n'est que deux heures plus tard, au bureau, en glissant par hasard ma main dans la poche droite, que je m'aperçus qu'il y avait un papier dedans. Peut-être la note du tailleur ?

Non. C'était un billet de dix mille lires[1].

Je restai interdit[2]. Ce n'était certes pas moi qui l'y avais mis. D'autre part il était absurde de penser à une plaisanterie du tailleur Corticella. Encore moins à un cadeau de ma femme de ménage, la seule personne qui avait eu l'occasion de s'approcher du complet après le tailleur. Est-ce que ce serait un billet de la Sainte Farce[3] ? Je le regardai à contre-jour, je le comparai à d'autres. Plus authentique que lui, c'était impossible.

L'unique explication, une distraction de Corticella. Peut-être qu'un client était venu lui verser un acompte, à ce moment-là il n'avait pas son portefeuille et, pour ne pas laisser traîner le billet, il l'avait glissé dans mon veston pendu à un cintre. Ce sont des choses qui peuvent arriver.

J'écrasai la sonnette pour appeler ma secrétaire. J'allais écrire un mot à Corticella et lui restituer cet argent qui n'était pas à moi. Mais, à ce moment, et je ne saurais en expliquer la raison, je glissai de nouveau ma main dans ma poche.

« Qu'avez-vous, monsieur ? Vous ne vous sentez pas bien ? » me demanda la secrétaire qui entrait alors.

J'avais dû pâlir comme la mort. Dans la poche mes doigts avaient rencontré les bords d'un morceau de papier qui n'y était pas quelques instants avant.

« Non, non, ce n'est rien, dis-je, un léger vertige. Ça m'arrive parfois depuis quelque temps. Sans doute un peu de fatigue.

---

1. La *lire* était la monnaie italienne, avant l'euro.

2. ***Interdit*** : stupéfait, très étonné.

3. ***Un billet de la Sainte Farce*** : un faux billet.

Vous pouvez aller, mon petit, j'avais à vous dicter une lettre mais
90 nous le ferons plus tard.»

Ce n'est qu'une fois la secrétaire sortie que j'osai extirper[1] la feuille de ma poche. C'était un autre billet de dix mille lires. Alors, je fis une troisième tentative. Et un troisième billet sortit.

Mon cœur se mit à battre la chamade[2]. J'eus la sensation de
95 me trouver entraîné, pour des raisons mystérieuses, dans la ronde d'un conte de fées comme ceux que l'on raconte aux enfants et que personne ne croit vrais.

Sous le prétexte que je ne me sentais pas bien, je quittai mon bureau et rentrai à la maison. J'avais besoin de rester seul. Heu-
100 reusement, la femme qui faisait mon ménage était déjà partie. Je fermai les portes, baissai les stores et commençai à extraire les billets l'un après l'autre aussi vite que je le pouvais, de la poche qui semblait inépuisable.

Je travaillai avec une tension spasmodique[3] des nerfs dans la
105 crainte de voir cesser d'un moment à l'autre le miracle. J'aurais voulu continuer toute la soirée, toute la nuit jusqu'à accumuler des milliards. Mais à un certain moment les forces me manquèrent.

Devant moi il y avait un tas impressionnant de billets de
110 banque. L'important maintenant était de les dissimuler, pour que personne n'en ait connaissance. Je vidai une vieille malle pleine de tapis et, dans le fond, je déposai par liasses les billets que je comptai au fur et à mesure. Il y en avait largement pour cinquante millions.

115 Quand je me réveillai le lendemain matin, la femme de ménage était là, stupéfaite de me trouver tout habillé sur mon lit. Je m'efforçai de rire, en lui expliquant que la veille au soir j'avais bu un verre de trop et que le sommeil m'avait surpris à l'improviste.

---

1. ***Extirper*** : extraire, sortir.
2. ***Battre la chamade*** : battre très fortement.
3. ***Spasmodique*** : produisant des contractions brusques et violentes.

120 Une nouvelle angoisse : la femme se proposait pour m'aider à enlever mon veston afin de lui donner au moins un coup de brosse.

Je répondis que je devais sortir tout de suite et que je n'avais pas le temps de me changer. Et puis je me hâtai vers 125 un magasin de confection pour acheter un vêtement semblable au mien en tous points; je laisserais le nouveau aux mains de ma femme de ménage; le mien, celui qui ferait de moi en quelques jours un des hommes les plus puissants du monde, je le cacherais en lieu sûr.

130 Je ne comprenais pas si je vivais un rêve, si j'étais heureux ou si au contraire je suffoquais sous le poids d'une trop grande fatalité. En chemin, à travers mon imperméable je palpais continuellement l'endroit de la poche magique. Chaque fois je soupirais de soulagement. Sous l'étoffe, le réconfortant froissement du 135 papier-monnaie me répondait.

Mais une singulière coïncidence refroidit mon délire joyeux. Sur les journaux du matin, de gros titres; l'annonce d'un cambriolage survenu la veille occupait presque toute la première page. La camionnette blindée d'une banque qui, 140 après avoir fait le tour des succursales[1], allait transporter au siège central les versements de la journée, avait été arrêtée et dévalisée rue Palmanova par quatre bandits. Comme les gens accouraient, un des gangsters, pour protéger sa fuite, s'était mis à tirer. Un des passants avait été tué. Mais c'est surtout 145 le montant du butin qui me frappa : exactement cinquante millions (comme les miens).

Pouvait-il exister un rapport entre ma richesse soudaine et le hold-up de ces bandits survenu presque en même temps ? Cela semblait ridicule de le penser. Et je ne suis pas superstitieux. 150 Toutefois l'événement me laissa très perplexe[2].

1. ***Succursales*** : agences.
2. ***Perplexe*** : très hésitant, rempli d'interrogations.

Plus on possède et plus on désire. J'étais déjà riche, compte tenu de mes modestes habitudes. Mais le mirage d'une existence de luxe effréné[1] m'éperonnait[2]. Et le soir même je me remis au travail. Maintenant je procédais avec plus de calme et les nerfs
155 moins tendus. Cent trente-cinq autres millions s'ajoutèrent au trésor précédent.

Cette nuit-là je ne réussis pas à fermer l'œil. Était-ce le pressentiment d'un danger ? Ou la conscience tourmentée de l'homme qui obtient sans l'avoir méritée une fabuleuse fortune ?
160 Ou une espèce de remords confus ? Aux premières heures de l'aube je sautai du lit, m'habillai et courus dehors en quête d'un journal.

Comme je lisais, le souffle me manqua. Un terrible incendie provoqué par un dépôt de pétrole qui s'était enflammé avait
165 presque complètement détruit un immeuble dans la rue de San Cloro, en plein centre. Entre autres, les coffres d'une grande agence immobilière qui contenaient plus de cent trente millions en espèces avaient été détruits. Deux pompiers avaient trouvé la mort en combattant le sinistre.

170 Dois-je maintenant énumérer un par un tous mes forfaits ? Oui, parce que désormais je savais que l'argent que le veston me procurait venait du crime, du sang, du désespoir, de la mort, venait de l'enfer. Mais insidieusement[3] ma raison refusait railleusement[4] d'admettre une quelconque responsabilité de ma part.
175 Et alors la tentation revenait, et alors ma main – c'était tellement facile – se glissait dans ma poche et mes doigts, avec une volupté[5] soudaine, étreignaient les coins d'un billet toujours nouveau. L'argent, le divin argent !

---

1. ***Effréné*** : sans frein.
2. ***M'éperonnait*** : m'incitait à continuer.
3. ***Insidieusement*** : sournoisement.
4. ***Railleusement*** : en se moquant.
5. ***Une volupté*** : un plaisir sensuel.

Sans quitter mon ancien appartement (pour ne pas attirer 180 l'attention) je m'étais acheté en peu de temps une grande villa, je possédais une précieuse collection de tableaux, je circulais en automobile de luxe et, après avoir quitté mon emploi «pour raison de santé», je voyageais et parcourais le monde en compagnie de femmes merveilleuses.

185 Je savais que chaque fois que je soutirais l'argent de mon veston, il se produisait dans le monde quelque chose d'abject et de douloureux. Mais c'était toujours une concordance vague, qui n'était pas étayée[1] par des preuves logiques. En attendant, à chacun de mes encaissements, ma conscience se dégradait, deve- 190 nait de plus en plus vile[2]. Et le tailleur? Je lui téléphonai pour demander sa note mais personne ne répondait. À Via Ferrara on me dit qu'il avait émigré, il était à l'étranger, on ne savait pas où. Tout conspirait pour me démontrer que, sans le savoir, j'avais fait un pacte avec le démon.

195 Cela dura jusqu'au jour où dans l'immeuble que j'habitais depuis de longues années, on découvrit un matin une sexagénaire[3] retraitée asphyxiée par le gaz; elle s'était tuée parce qu'on avait perdu les trente mille lires de sa pension[4] qu'elle avait touchée la veille (et qui avaient fini dans mes mains).

200 Assez, assez! Pour ne pas m'enfoncer dans l'abîme[5], je devais me débarrasser de mon veston. Mais non pas en le cédant à quelqu'un d'autre, parce que l'opprobre[6] aurait continué (qui aurait pu résister à un tel attrait?). Il devenait indispensable de le détruire.

205 J'arrivai en voiture dans une vallée perdue des Alpes. Je laissai mon auto sur un terre-plein herbeux et je me dirigeai droit sur le

---

1. ***Étayée*** : soutenue.
2. ***Vile*** : sans qualité, sans noblesse (masculin : *vil*).
3. ***Sexagénaire*** : femme âgée d'une soixantaine d'années.
4. ***Pension*** : somme d'argent qui constitue le revenu de la retraite.
5. ***Abîme*** : ici, enfer, gouffre que représente la tentation.
6. ***Opprobre*** : déshonneur, honte.

bois. Il n'y avait pas âme qui vive. Après avoir dépassé le bourg, j'atteignis le gravier de la moraine[1]. Là, entre deux gigantesques rochers, je tirai du sac tyrolien[2] l'infâme veston, l'imbibai
210 d'essence et y mis le feu. En quelques minutes il ne resta que des cendres.

Mais à la dernière lueur des flammes, derrière moi – à deux ou trois mètres aurait-on dit –, une voix humaine retentit : «Trop tard, trop tard!» Terrorisé je me retournai d'un mouvement
215 brusque comme si un serpent m'avait piqué. Mais il n'y avait personne en vue. J'explorai tout alentour, sautant d'une roche à l'autre, pour débusquer le maudit qui me jouait ce tour. Rien. Il n'y avait que des pierres.

Malgré l'épouvante que j'éprouvais, je redescendis dans la
220 vallée, avec une sensation de soulagement. Libre finalement. Et riche, heureusement.

Mais sur le talus, ma voiture n'était plus là. Et lorsque je fus rentré en ville, ma somptueuse villa avait disparu; à sa place, un pré inculte[3] avec l'écriteau «Terrain communal à vendre». Et mes
225 comptes en banque, je ne pus m'expliquer comment, étaient complètement épuisés. Disparus de mes nombreux coffres-forts les gros paquets d'actions[4]. Et de la poussière, rien que de la poussière, dans la vieille malle.

Désormais j'ai repris péniblement mon travail, je m'en tire à
230 grand-peine, et ce qui est étrange, c'est que personne ne semble surpris par ma ruine subite.

---

1. ***Moraine*** : amas de terre, de débris, entraînés puis abandonnés par un glacier.
2. ***Sac tyrolien*** : sac à dos utilisé par les montagnards, qui doit son nom au Tyrol, région montagneuse d'Europe centrale, qui fait partie de la chaîne des Alpes et s'étend sur une partie de l'Autriche et de l'Italie.
3. ***Inculte*** : qui n'est pas cultivé.
4. ***Actions*** : titres représentant une fraction du capital d'une société; celui qui détient des actions, participant au capital de cette société, profite des bénéfices qu'elle réalise.

Et je sais que ce n'est pas encore fini. Je sais qu'un jour la sonnette de la porte retentira, j'irai ouvrir et je trouverai devant moi ce tailleur de malheur, avec son sourire abject[1], pour l'ultime
235 règlement de comptes.

Le K, © Arnoldo Mondadori Editore, 1975 ;
trad. Jacqueline Remillet, © Robert Laffont, 1967.

1. ***Abject*** : qui inspire le dégoût.

Le fantastique en peinture : du romantisme noir au réalisme magique

L'expression du fantastique en peinture emprunte des voies différentes au fil des siècles. Si, à partir du XVIIIe siècle, les artistes donnent corps à l'étrange en exploitant le thème du rêve (ou du cauchemar), au XIXe siècle, le fantastique des peintres préraphaélites, qui se passionnent pour les motifs merveilleux du Moyen Âge, revêt une tonalité magique. Au début du XXe siècle, les œuvres surréalistes, donnant libre cours à l'expression de l'inconscient, représentent le surgissement du surnaturel dans le quotidien et, avec lui, de l'impossible dans le réel (voir dossier, p. 118).

▲ Johann Heinrich Füssli, *Le Cauchemar*, 1781 (huile sur toile, 101,6 x 127,7 cm).
Johann Heinrich Füssli (1741-1825) est un peintre d'origine suisse ayant essentiellement vécu en Angleterre. Exposé à la Royal Academy de Londres en 1782, ce tableau a obtenu un très grand succès.

▶ Francisco de Goya, *Le sommeil de la raison engendre des monstres*, 1797-1799 (eau-forte et aquatinte sur papier vergé, 21,3 x 15,1 cm). Francisco José de Goya y Lucientes, dit Francisco de Goya (1746-1828), est un peintre et graveur espagnol associé au romantisme.

▼ Caspar David Friedrich, *L'Abbaye dans un bois de chênes*, 1809-1810 (huile sur toile, 110,5 x 171 cm). Caspar David Friedrich (1774-1840) est un peintre allemand en partie autodidacte. Il fréquente le cercle des premiers poètes romantiques allemands dont la philosophie est imprégnée de mysticisme et d'imagination fantastique.

◀ **John William Waterhouse,**
Le Cercle magique, 1886 (huile sur toile, 183 x 127 cm).
John William Waterhouse (1849-1917) est un peintre britannique néoclassique et préraphaélite. Les miracles, la magie et le pouvoir de divination sont des thèmes courants dans son œuvre : le motif de la femme enchanteresse, en particulier, apparaît dans un certain nombre de ses tableaux inspirés de mythes antiques ou de légendes médiévales.

▼ **Marianne Stokes,** ***La Jeune Fille et la Mort*****,**
v. 1900 (huile sur toile, 95 x 135 cm).
Née Marianne Preindlsberger (1855-1927), Marianne Stokes est un peintre d'origine autrichienne. Après ses années de formation à l'École des beaux-arts de Munich, puis à Paris, elle rencontre le peintre Adrian Stokes qu'elle épouse ; elle a essentiellement vécu et travaillé en Grande-Bretagne. Son œuvre est marquée par l'influence des préraphaélites.

▲ René Magritte, *La Reproduction interdite*, 1937 (huile sur toile, 81,3 x 65 cm).
René François Ghislain Magritte (1898-1967) est un peintre surréaliste belge dont les tableaux proposent souvent des énigmes, confrontant le spectateur à une image qui présente un certain caractère d'impossibilité. Ici, le personnage se « reflète à l'envers » dans le miroir. À l'inverse, le livre (un récit d'Edgar Allan Poe, *Les Aventures d'Arthur Gordon Pym*) se reflète correctement.

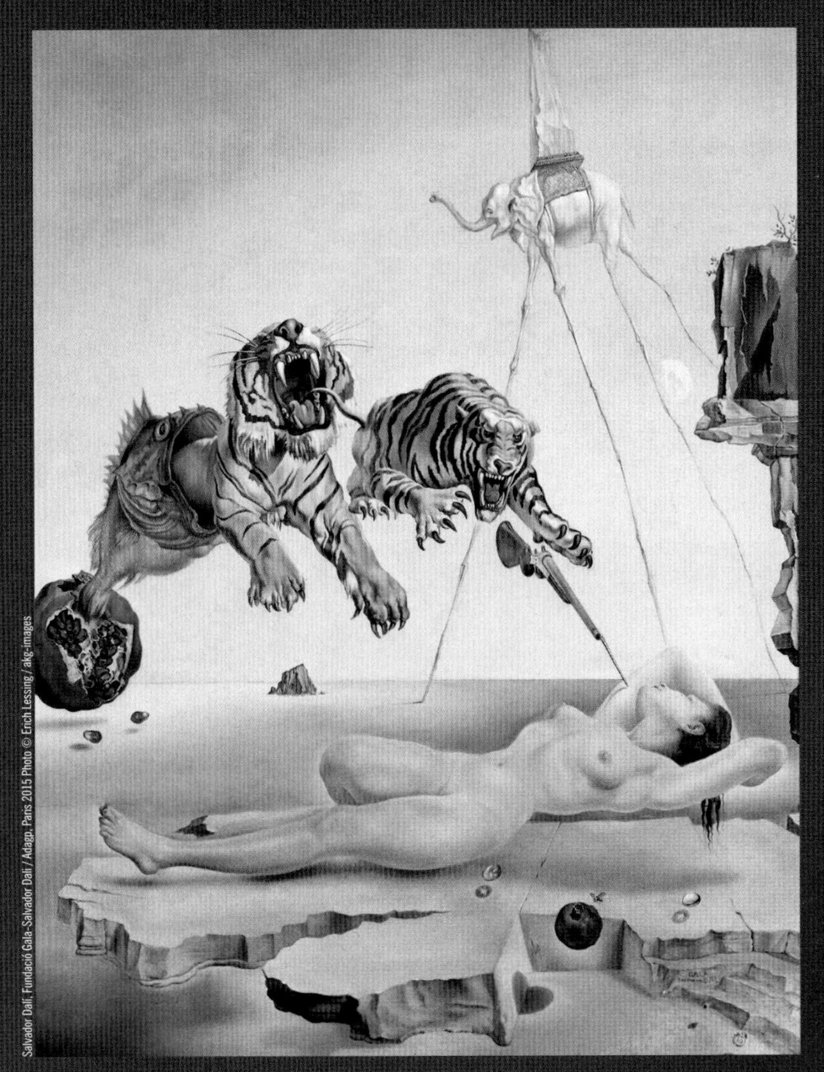

▲ **Salvador Dalí**, ***Rêve causé par le vol d'une abeille autour d'une grenade, une seconde avant l'éveil***, **1944 (huile sur bois, 51 x 41 cm).**
Salvador Dalí (1904-1989) est un peintre, sculpteur et graveur espagnol. Dès 1928, il rejoint le mouvement surréaliste et il collabore avec le cinéaste Luis Buñuel à l'écriture du film *Un chien andalou*.

Le réalisme en peinture

En peinture comme en littérature, les œuvres dites « réalistes » tendent à représenter le monde le plus fidèlement possible, au point de créer l'illusion du réel, choisissant pour cela leur sujet et leurs personnages dans le quotidien le plus commun. Ce souci a largement dépassé le seul XIXe siècle, trouvant son expression dans les peintures naturalistes et hyperréalistes du XXe siècle (voir dossier, p. 122).

Collection particulière

▲ **Gustave Caillebotte, *Le Pont de l'Europe*, 1876 (huile sur toile, 125 x 180 cm).**
Gustave Caillebotte (1848-1894) est un peintre, collectionneur d'art et mécène français. Fasciné par le réalisme et la modernité, il se passionne pour le travail des peintres impressionnistes (Renoir, Monet) dont l'influence se fera sentir dans certaines de ses œuvres.

▲ Edward Hopper, *Nighthawks*, 1942 (huile sur toile, 84,1 x 152,4 cm).

▲ Edward Hopper, *Gas*, 1940 (huile sur toile, 66,6 x 102,2 cm).

Edward Hopper (1882-1967) est un peintre et graveur américain influencé par les artistes réalistes français (Gustave Courbet, Honoré Daumier, Jean-François Millet), dont il a vu les œuvres lors d'un séjour en France.
Les deux tableaux que nous reproduisons relèvent du réalisme social, qui représente des scènes de la vie quotidienne des Américains dans des lieux « typiques », immédiatement identifiables : ici, le restaurant du coin de la rue, que les Américains appellent *diner*, et la station-service.

▲ Norman Rockwell, *Travel Experience* (couverture du *Saturday Evening Post*, 12 août 1944).
Norman Rockwell est un peintre et illustrateur américain né à New York en 1894 et mort à Stockbridge (Massachusetts) en 1978. Ce sont les couvertures de magazines populaires, qu'il illustre dans un style naturaliste, qui l'ont rendu célèbre.

L'Ivrogne

Guy de Maupassant

Autant *La Main* (*supra*, p. 34) témoignait du goût et du talent de Maupassant pour le fantastique, autant *L'Ivrogne* donne à voir sa maîtrise du réalisme le plus pur. Tout y est pitoyablement vraisemblable et compréhensible, et si l'on ne sait trop de quoi s'affliger le plus (la sottise et l'ivrognerie du protagoniste, la perversité de l'amant de sa femme, la trahison de son ami Mathurin, la louche complicité de l'aubergiste...), on n'en reconnaît pas moins dans chacun de ces comportements des caractéristiques de l'« humain, trop humain ». La non-intervention du narrateur ajoute une sorte de cruauté au rapport qu'il fait de cette histoire sordide. Le « réel » de ce réalisme-là n'est pas appétissant !

L'Ivrogne

Le vent du nord soufflait en tempête, emportant par le ciel d'énormes nuages d'hiver, lourds et noirs, qui jetaient en passant sur la terre des averses furieuses.

La mer démontée mugissait et secouait la côte, précipitant sur 5 le rivage des vagues énormes, lentes et baveuses, qui s'écroulaient avec des détonations d'artillerie[1]. Elles s'en venaient tout doucement, l'une après l'autre, hautes comme des montagnes, éparpillant dans l'air, sous les rafales, l'écume blanche de leurs têtes ainsi qu'une sueur de monstres.

10 L'ouragan s'engouffrait dans le petit vallon d'Yport[2], sifflait et gémissait, arrachant les ardoises des toits, brisant les auvents, abattant les cheminées, lançant dans les rues de telles poussées de vent qu'on ne pouvait marcher qu'en se tenant aux murs, et que les enfants eussent été enlevés comme des feuilles et jetés 15 dans les champs par-dessus les maisons.

On avait halé[3] les barques de pêche jusqu'au pays[4], par crainte de la mer qui allait balayer la plage à marée pleine[5], et quelques matelots, cachés derrière le ventre rond des embarcations couchées sur le flanc, regardaient cette colère du ciel et 20 de l'eau.

Puis ils s'en allaient peu à peu, car la nuit tombait sur la tempête, enveloppant d'ombre l'Océan affolé, et tout le fracas des éléments en furie.

---

1. ***Artillerie*** : matériel de guerre (canons, obusiers...).
2. ***Yport*** : village et port français situé dans le département de la Seine-Maritime, en Haute-Normandie, entre Le Havre et Fécamp.
3. ***Halé*** : remorqué, à l'aide d'un cordage tiré depuis le rivage.
4. ***Jusqu'au pays*** : jusqu'au-dessus de la plage.
5. ***Marée pleine*** : marée haute.

Deux hommes restaient encore, les mains dans les poches, le
25 dos rond sous les bourrasques[1], le bonnet de laine enfoncé jusqu'aux yeux, deux grands pêcheurs normands, au collier de barbe rude, à la peau brûlée par les rafales salées du large, aux yeux bleus piqués d'un grain noir au milieu, ces yeux perçants des marins qui voient au bout de l'horizon, comme un oiseau
30 de proie.

Un d'eux disait :

« Allons, viens-t'en, Jérémie. J'allons passer l'temps aux dominos. C'est mé[2] qui paye. »

L'autre hésitait encore, tenté par le jeu et l'eau-de-vie[3],
35 sachant bien qu'il allait encore s'ivrogner[4] s'il entrait chez Paumelle, retenu aussi par l'idée de sa femme restée toute seule dans sa masure[5].

Il demanda :

« On dirait qu't'as fait une gageure[6] de m'soûler tous les soirs.
40 Dis-mé, qué qu'ça te rapporte, pisque tu payes toujours ? »

Et il riait tout de même à l'idée de toute cette eau-de-vie bue aux frais d'un autre ; il riait d'un rire content de Normand en bénéfice[7].

Mathurin, son camarade, le tirait toujours par le bras.

45 « Allons, viens-t'en, Jérémie. C'est pas un soir à rentrer, sans rien de chaud dans le ventre. Qué qu'tu crains ? Ta femme va-t-il pas bassiner[8] ton lit ? »

Jérémie répondait :

---

1. ***Bourrasques*** : coups de vent violents.
2. ***Viens-t'en*, *j'allons*, *c'est mé*** : l'auteur transcrit la manière de parler patoisante des personnages.
3. ***Eau-de-vie*** : boisson alcoolisée.
4. ***S'ivrogner*** : s'enivrer, faire une consommation excessive d'alcool.
5. ***Masure*** : petite habitation misérable.
6. ***Gageure*** : pari.
7. ***En bénéfice*** : qui réalise un gain.
8. ***Bassiner*** : ici, chauffer.

«L'aut' soir que je n'ai point pu r'trouver la porte... Qu'on m'a quasiment r'pêché dans le ruisseau d'vant chez nous !»

Et il riait encore à ce souvenir de pochard[1], et il allait tout doucement vers le café de Paumelle, dont la vitre illuminée brillait ; il allait, tiré par Mathurin et poussé par le vent, incapable de résister à ces deux forces.

La salle basse était pleine de matelots, de fumée et de cris. Tous ces hommes, vêtus de laine, les coudes sur les tables, vociféraient pour se faire entendre. Plus il entrait de buveurs, plus il fallait hurler dans le vacarme des voix et des dominos tapés sur le marbre, histoire de faire plus de bruit encore.

Jérémie et Mathurin allèrent s'asseoir dans un coin et commencèrent une partie, et les petits verres disparaissaient, l'un après l'autre, dans la profondeur de leurs gorges.

Puis ils jouèrent d'autres parties, burent d'autres petits verres. Mathurin versait toujours, en clignant de l'œil au patron, un gros homme aussi rouge que du feu et qui rigolait, comme s'il eût su quelque longue farce ; et Jérémie engloutissait l'alcool, balançait sa tête, poussait des rires pareils à des rugissements en regardant son compère d'un air hébété et content.

Tous les clients s'en allaient. Et, chaque fois que l'un d'eux ouvrait la porte du dehors pour partir, un coup de vent entrait dans le café, remuait en tempête la lourde fumée des pipes, balançait les lampes au bout de leurs chaînettes et faisait vaciller leurs flammes ; et on entendait tout à coup le choc profond d'une vague s'écroulant et le mugissement de la bourrasque.

Jérémie, le col desserré, prenait des poses de soûlard, une jambe étendue, un bras tombant ; et de l'autre main il tenait ses dominos.

Ils restaient seuls maintenant avec le patron, qui s'était approché, plein d'intérêt.

Il demanda :

---

1. ***Pochard*** : alcoolique.

«Eh ben, Jérémie, ça va-t-il, à l'intérieur? Es-tu rafraîchi à force de t'arroser?»

Et Jérémie bredouilla :

«Plus qu'il en coule, pus qu'il fait sec[1], là-dedans.»

85 Le cafetier regardait Mathurin d'un air finaud[2]. Il dit :

«Et ton fré[3], Mathurin, ous qu'il est à c't' heure?»

Le marin eut un rire muet :

«Il est au chaud, t'inquiète pas.»

Et tous deux regardèrent Jérémie, qui posait triomphalement 90 le double six en annonçant :

«V'là le syndic[4].»

Quand ils eurent achevé la partie, le patron déclara :

«Vous savez, mes gars, mé, j'va m'mettre au portefeuille[5]. J'vous laisse une lampe et pi l'litre. Y en a pour vingt sous à 95 bord[6]. Tu fermeras la porte au-dehors, Mathurin, et tu glisseras la clef d'sous l'auvent comme t'as fait l'aut' nuit.»

Mathurin, répliqua :

«T'inquiète pas. C'est compris.»

Paumelle serra la main de ses deux clients tardifs, et monta 100 lourdement son escalier en bois. Pendant quelques minutes, son pesant pas résonna dans la petite maison; puis un lourd craquement révéla qu'il venait de se mettre au lit.

Les deux hommes continuèrent à jouer; de temps en temps, une rage plus forte de l'ouragan secouait la porte, faisait trembler 105 les murs, et les deux buveurs levaient la tête comme si quelqu'un

---

1. ***Pus qu'il fait sec*** : plus il fait sec.
2. ***Finaud*** : rusé, malin.
3. ***Ton fré*** : ton frère.
4. ***V'là le syndic*** : expression par laquelle le joueur exprime sa satisfaction de l'emporter – le double six est la pièce dont tout joueur cherche à se débarrasser avant la fin de la partie pour ne pas être pénalisé des douze points qu'elle représente en cas de défaite.
5. ***Portefeuille*** : lit (argot).
6. ***Y en a pour vingt sous à bord*** : il reste pour vingt sous d'alcool dans la bouteille.

allait entrer. Puis Mathurin prenait le litre et remplissait le verre de Jérémie. Mais soudain, l'horloge suspendue sur le comptoir sonna minuit. Son timbre enroué ressemblait à un choc de casseroles, et les coups vibraient longtemps, avec une sonorité de
110 ferraille.

Mathurin aussitôt se leva, comme un matelot dont le quart[1] est fini :

«Allons, Jérémie, faut décaniller[2].»

L'autre se mit en mouvement avec plus de peine, prit son
115 aplomb en s'appuyant à la table; puis il gagna la porte et l'ouvrit pendant que son compagnon éteignait la lampe.

Lorsqu'ils furent dans la rue, Mathurin ferma la boutique; puis il dit :

«Allons, bonsoir, à demain.»

120 Et il disparut dans les ténèbres.

*

Jérémie fit trois pas, puis oscilla[3], étendit les mains, rencontra un mur qui le soutint debout et se remit en marche en trébuchant. Par moments une bourrasque, s'engouffrant dans la rue étroite, le lançait en avant, le faisait courir quelques pas; puis
125 quand la violence de la trombe cessait, il s'arrêtait net, ayant perdu son pousseur, et il se remettait à vaciller sur ses jambes capricieuses d'ivrogne.

Il allait, d'instinct, vers sa demeure, comme les oiseaux vont au nid. Enfin, il reconnut sa porte et il se mit à la tâter pour
130 découvrir la serrure et placer la clef dedans. Il ne trouvait pas le trou et jurait à mi-voix. Alors il tapa dessus à coups de poing, appelant sa femme pour qu'elle vînt l'aider :

---

1. ***Le quart*** : période pendant laquelle une partie de l'équipage, à tour de rôle, est de service.
2. ***Décaniller*** : s'en aller (familier).
3. ***Oscilla*** : eut un mouvement de bascule.

«Mélina! Hé! Mélina!»

Comme il s'appuyait contre le battant pour ne point tomber, 135 il céda, s'ouvrit, et Jérémie, perdant son appui, entra chez lui en s'écroulant, alla rouler sur le nez au milieu de son logis, et il sentit que quelque chose de lourd lui passait sur le corps, puis s'enfuyait dans la nuit.

Il ne bougeait plus, ahuri de peur, éperdu[1], dans une épou- 140 vante du diable, des revenants, de toutes les choses mystérieuses des ténèbres, et il attendit longtemps sans oser faire un mouvement. Mais, comme il vit que rien ne remuait plus, un peu de raison lui revint, de la raison trouble de pochard.

Et il s'assit, tout doucement. Il attendit encore longtemps, et, 145 s'enhardissant enfin, il prononça :

«Mélina!»

Sa femme ne répondit pas.

Alors, tout d'un coup, un doute traversa sa cervelle obscurcie, un doute indécis, un soupçon vague. Il ne bougeait point; il res- 150 tait là, assis par terre, dans le noir, cherchant ses idées, s'accrochant à des réflexions incomplètes et trébuchantes comme ses pieds.

Il demanda de nouveau :

«Dis-mé qui que c'était, Mélina? Dis-mé qui que c'était. Je te 155 ferai rien.»

Il attendit. Aucune voix ne s'éleva dans l'ombre. Il raisonnait tout haut, maintenant.

«Je sieus-ti bu[2], tout de même! Je sieus-ti bu! C'est li qui m'a boissonné comma[3], çu manant[4]; c'est li, pour que je rentre 160 point. J'sieus-ti bu!»

Et il reprenait :

---

1. ***Éperdu*** : voir note 1, p. 40.
2. ***Je sieus-ti bu*** : je suis bien soûl!
3. ***C'est li qui m'a boissonné comma*** : c'est lui qui m'a fait boire comme ça.
4. ***Çu manant*** : ce misérable.

«Dis-mé qui que c'était, Mélina, ou j'vas faire quéque malheur.»

Après avoir attendu de nouveau, il continuait, avec une logique lente et obstinée d'homme soûl :

«C'est li qui m'a r'tenu chez ce fainéant de Paumelle; et l's autres soirs itou[1], pour que je rentre point. C'est quéque complice. Ah! charogne[2]!»

Lentement il se mit sur les genoux. Une colère sourde le gagnait, se mêlant à la fermentation des boissons.

Il répéta :

«Dis-mé qui qu' c'était, Mélina, ou j'va cogner, j'te préviens!»

Il était debout maintenant, frémissant d'une colère foudroyante, comme si l'alcool qu'il avait au corps se fût enflammé dans ses veines. Il fit un pas, heurta une chaise, la saisit, marcha encore, rencontra le lit, le palpa et sentit dedans le corps chaud de sa femme.

Alors, affolé de rage, il grogna :

«Ah! t'étais là, saleté, et tu n'répondais point.»

Et, levant la chaise qu'il tenait dans sa poigne robuste de matelot, il l'abattit devant lui avec une furie exaspérée. Un cri jaillit de la couche; un cri éperdu, déchirant. Alors il se mit à frapper comme un batteur[3] dans une grange. Et rien, bientôt, ne remua plus. La chaise s'envolait en morceaux; mais un pied lui restait à la main, et il tapait toujours, en haletant.

Puis soudain il s'arrêta pour demander :

«Diras-tu qui qu' c'était, à c't' heure[4]?»

Mélina ne répondit pas.

Alors, rompu de fatigue, abruti par sa violence, il se rassit par terre, s'allongea et s'endormit.

---

1. ***Itou*** : aussi (familier).

2. ***Charogne*** : ici, individu odieux.

3. ***Batteur*** : paysan qui bat le blé pour en récolter les grains.

4. ***À c't' heure*** : maintenant.

Quand le jour parut, un voisin, voyant sa porte ouverte, entra. Il aperçut Jérémie qui ronflait sur le sol, où gisaient les débris d'une chaise et, dans le lit, une bouillie de chair et de sang.

La Peur

Irène Némirovsky

Irène Némirovsky est un écrivain de langue française d'origine russe, née à Kiev le 24 février 1903. Fille de banquier, elle vit une enfance aisée, passant une partie de l'année en France, sur la Côte d'Azur notamment.
En 1919, elle s'installe définitivement en France où elle obtient son baccalauréat. Elle s'engage alors dans des études littéraires à la Sorbonne, à Paris. Parallèlement, elle commence à publier, d'abord des nouvelles, puis, en 1926, un premier roman : *Le Malentendu*. La même année elle épouse Michel Epstein, banquier d'origine russe. En 1929, son deuxième roman, *David Golder*, fait d'elle un écrivain connu : elle fréquente les milieux littéraires et ses œuvres sont publiées chez Grasset, puis chez Albin Michel. Une de ses plus célèbres nouvelles, *Le Bal* (1930), associe à un schéma traditionnel de tragédie la présence, alors très moderne, de ce qu'on a appelé le « monologue intérieur », procédé permettant au lecteur de suivre les pensées de l'héroïne comme s'il était dans sa conscience.
Au début des années 1930, elle demande à deux reprises la naturalisation française, qui lui est refusée malgré sa conversion au catholicisme. À partir de 1940, elle doit fuir Paris et se réfugier dans un village de province pour tenter d'échapper aux persécutions que le régime de Vichy fait subir aux Juifs. Elle est néanmoins arrêtée et déportée à Auschwitz, où elle meurt en juillet 1942.
Après la guerre, l'œuvre d'Irène Némirovsky tombe dans un certain oubli ; ce n'est que récemment qu'elle est redécouverte. Son dernier roman, *Suite française*, dont le manuscrit retrouvé a permis la publication en 2004, a reçu le prix Renaudot.

La Peur

La nuit était si belle, si transparente que le sommeil fuyait les habitants du village. Du bois proche venait un parfum de fraises. Les cœurs étaient tristes : c'était la guerre. Le village tremblait pour ses fils absents. Les nouvelles étaient mauvaises. Les
5 hommes murmuraient : «On n'a pas fini d'en voir...»

«Ce ne sera pas pour demain, la noce», fit Léonce Péraudin.

Et son voisin et ami, Joseph Voillot, hocha tristement la tête sans répondre.

Les domaines qu'ils cultivaient étaient proches l'un de
10 l'autre. Ils se connaissaient depuis le temps de l'école. Ils s'étaient battus en 14[1] dans la même compagnie. Voillot, solide, taciturne[2], à la barbe noire, aux grands bras noueux, avait porté sur son dos Péraudin, blessé, sous les obus, près de Poperinghe[3]. Ils étaient mariés et leurs femmes elles-mêmes n'avaient pas
15 réussi à troubler leur amitié. Le fils de Péraudin était soldat. À son retour, il épouserait la fille aînée de Joseph, une blonde à la poitrine dure, aux larges épaules.

Une femme passa et cria (les femmes du pays ont une voix aiguë et perçante qui couvre sans effort les rares paroles des
20 hommes) :

«Paraît qu'on a vu des parachutistes, par ici ! Même qu'on en aurait arrêté quatre, mais que le cinquième a filé. J'ons[4] bien entendu des coups de fusil, hier soir.»

Ils se turent et écoutèrent. La nuit, si paisible jusque-là, sem-
25 blait tout à coup pleine d'une étrange, d'une indéfinissable

---

1. ***En 14*** : en 1914, pendant la Première Guerre mondiale.
2. ***Taciturne*** : qui parle peu.
3. ***Poperinghe*** : ville flamande de Belgique.
4. ***J'ons*** : au lieu de «J'ai». L'auteur transcrit la façon de parler des personnages.

menace. Mais on n'entendait rien que le chant du rossignol et les pleurs lointains d'un enfant.

« Allons, c'est pas tout, ça, faut rentrer chez soi », dit Voillot.

Péraudin et Voillot se dirigèrent vers leurs maisons. Ils appro-30 chaient de la rivière lorsque la lune se voila. Un humide brouillard montait des prés. Sur l'eau flottaient de tendres et légères vapeurs.

À mesure qu'ils avançaient, une sorte d'inquiétude s'emparait d'eux. Plusieurs fois, Péraudin tourna la tête et fit signe à son 35 compagnon de se taire. Mais tantôt c'était un cheval endormi dans le pré, dont la forme émergeait, méconnaissable, du brouillard, tantôt un froissement de joncs au bord de la rivière. Jamais ils n'apercevaient ni n'entendaient autre chose et, malgré tout, ils étaient troublés, pensifs, inquiets. Ils se taisaient. Ils 40 avaient honte d'avouer leur peur. Au seuil de leurs maisons voisines, ils se séparèrent.

Péraudin rentra chez lui. Il alla dans sa chambre et décrocha son fusil : il veillerait cette nuit. S'il apercevait un ennemi, il n'irait pas chercher les gendarmes. Il saurait se défendre. Il des-45 cendit vers le pré, blanc, vaporeux, floconneux dans le brouillard qui tremblait, éclairé par la lune. Il s'assit près de la haie qui séparait de la sienne la terre du Voillot. Il attendit. Les heures passaient. Bientôt la courte nuit de mai s'achèverait. Un instant, le sommeil le saisit et, tout à coup, il tressaillit, s'éveilla en sur-50 saut. Il avait distinctement entendu un bruit de pas, de l'autre côté de la haie. Quelqu'un montait de la rivière vers la maison de son ami, quelqu'un qui marchait avec précaution, en retenant son souffle. Il écarta les branches et regarda. Le brouillard était si dense que tout d'abord il ne vit rien ; seule une forme sombre 55 apparut, puis se baissa et se tapit derrière les joncs. Il entendit le bruit d'une arme que l'on charge. Il épaula et fit feu. Un gémissement dans l'aube qui se levait, une plainte horrible qu'il croyait reconnaître, qui lui glaçait le cœur. Il s'élança. Il courut vers les

joncs. Il les écarta. Il trouva à terre son ami mourant, atteint
60 d'une balle dans le ventre. Son fusil était tombé auprès de lui, dans l'herbe. Tous deux avaient voulu guetter les parachutistes, atteindre l'ennemi. Il souleva la tête de Voillot, cria d'une voix enrouée :

«T'es pas mort ? Dis, réponds-moi ! C'est moi, je suis là !
65 C'est moi le sacré couillon, l'imbécile qu'ai fait le coup ! Réponds-moi, Joseph, vieux, regarde-moi ! »

Mais l'homme porta les mains à son ventre avec une grimace douloureuse et suppliante et, sans un mot, il mourut.

Le lendemain, on trouva les deux cadavres, celui de Voillot
70 étendu dans l'herbe, celui de Péraudin, pendu aux branches d'un orme.

Cauchemar en jaune

Fredric Brown

Fredric Brown est un écrivain américain né le 29 octobre 1906 et mort le 11 mars 1972. Journaliste de profession, il est l'auteur de récits de science-fiction et de nombreuses nouvelles criminelles et policières.

Publié essentiellement dans des magazines populaires et bon marché appelés « Pulp », il n'a pas bénéficié d'une grande notoriété de son vivant, mais il jouit d'une véritable reconnaissance posthume aux États-Unis ainsi qu'en France, et certaines de ses œuvres ont fait l'objet d'adaptation au cinéma, notamment *Knock Three Two* (*Ça ne se refuse pas*), adapté en 1975 par le cinéaste français Jean-Pierre Mocky sous le titre *L'Ibis rouge*, où Michel Simon tient le rôle de l'étrangleur.

Brown excelle en particulier dans le genre de la *short short story* (très courte nouvelle).

Cauchemar en jaune est tiré de *Fantômes et farfafouilles*, un recueil de quarante-deux nouvelles publié en 1961.

Cauchemar en jaune

Il fut tiré du sommeil par la sonnerie du réveil, mais resta couché un bon moment après l'avoir fait taire, à repasser une dernière fois les plans qu'il avait établis pour une escroquerie dans la journée et un assassinat le soir.

5 Il n'avait négligé aucun détail, c'était une simple récapitulation finale. À vingt heures quarante-six il serait libre, dans tous les sens du mot. Il avait fixé le moment parce que c'était son quarantième anniversaire et que c'était l'heure exacte où il était né. Sa mère, passionnée d'astrologie, lui avait souvent rappelé la 10 minute précise de sa naissance. Lui-même n'était pas superstitieux, mais cela flattait son sens de l'humour de commencer sa vie nouvelle à quarante ans, à une minute près.

De toute façon, le temps travaillait contre lui. Homme de loi spécialisé dans les affaires immobilières, il voyait de très 15 grosses sommes passer entre ses mains; une partie de ces sommes y restait. Un an auparavant, il avait «emprunté» cinq mille dollars, pour les placer dans une affaire sûre, qui allait doubler ou tripler la mise, mais où il en perdit la totalité. Il emprunta un nouveau capital[1], pour diverses spéculations[2], et 20 pour rattraper sa perte initiale. Il avait maintenant environ trente mille dollars de retard, le trou ne pouvait guère être dissimulé désormais plus de quelques mois et il n'y avait pas le moindre espoir de le combler en si peu de temps. Il avait donc résolu de réaliser le maximum en argent liquide sans 25 éveiller les soupçons, en vendant diverses propriétés. Dans l'après-midi il disposerait de plus de cent mille dollars, plus qu'il ne lui en fallait jusqu'à la fin de ses jours.

---

1. ***Un nouveau capital*** : une nouvelle somme d'argent.
2. ***Spéculations*** : opérations financières hasardeuses.

Et jamais il ne serait pris. Son départ, sa destination, sa nouvelle identité, tout était prévu et fignolé, il n'avait négligé aucun détail. Il y travaillait depuis des mois.

Sa décision de tuer sa femme, il l'avait prise un peu après coup. Le mobile était simple : il la détestait. Mais c'est seulement après avoir pris la résolution de ne jamais aller en prison, de se suicider s'il était pris, que l'idée lui était venue : puisque de toute façon il mourrait s'il était pris, il n'avait rien à perdre en laissant derrière lui une femme morte au lieu d'une femme en vie.

Il avait eu beaucoup de mal à ne pas éclater de rire devant l'opportunité du cadeau d'anniversaire qu'elle lui avait fait (la veille, avec vingt-quatre heures d'avance) : une belle valise neuve. Elle l'avait aussi amené à accepter de fêter son anniversaire en allant dîner en ville, à sept heures. Elle ne se doutait pas de ce qu'il avait préparé pour continuer la soirée de fête. Il la ramènerait à la maison avant vingt heures quarante-six et satisferait son goût pour les choses bien faites en se rendant veuf à la minute précise. Il y avait aussi un avantage pratique à la laisser morte : s'il l'abandonnait vivante et endormie, elle comprendrait ce qui s'était passé et alerterait la police en constatant, au matin, qu'il était parti. S'il la laissait morte, le cadavre ne serait pas trouvé avant deux et peut-être trois jours, ce qui lui assurerait une avance bien plus confortable.

À son bureau, tout se passa à merveille; quand l'heure fut venue d'aller retrouver sa femme, tout était paré. Mais elle traîna devant les cocktails et traîna encore au restaurant; il en vint à se demander avec inquiétude s'il arriverait à la ramener à la maison avant vingt heures quarante-six. C'était ridicule, il le savait bien, mais il avait fini par attacher une grande importance au fait qu'il voulait être libre à ce moment-là et non une minute avant ou une minute après. Il gardait l'œil sur sa montre.

Attendre d'être entrés dans la maison l'aurait mis en retard de trente secondes. Mais sur le porche, dans l'obscurité, il n'y avait aucun danger; il ne risquait rien, pas plus qu'à l'intérieur de la maison. Il abattit la matraque de toutes ses forces, pendant qu'elle attendait qu'il sorte sa clé pour ouvrir la porte. Il la rattrapa avant qu'elle tombe et parvint à la maintenir debout, tout 65 en ouvrant la porte de l'autre main et en la refermant de l'intérieur.

Il posa alors le doigt sur l'interrupteur et une lumière jaunâtre envahit la pièce.

Avant qu'ils aient pu voir que sa femme était morte et qu'il 70 maintenait le cadavre d'un bras, tous les invités à la soirée d'anniversaire hurlèrent d'une seule voix :

« Surprise ! »

Fantômes et farfafouilles, trad. Jean Sendy, Denoël, 1963 ; trad. révisée Thomas Day,

La Femme du tueur

Annie Saumont

Née à Cherbourg en 1927, Annie Saumont est un écrivain français.
Traductrice de littérature anglo-saxonne, notamment du célèbre *Attrape-cœur* de J.D. Salinger, elle a aussi, dans les années 1960, publié plusieurs romans, avant de se spécialiser dans la nouvelle. Elle a composé une douzaine de recueils, dont *Quelquefois dans les cérémonies*, qui a remporté le prix Goncourt en 1981. De très nombreuses autres distinctions littéraires sont venues depuis saluer l'œuvre d'une femme de lettres qui s'impose aujourd'hui comme l'un des maîtres du genre. Ses récits, souvent très courts, rendent compte de la réalité quotidienne de gens ordinaires et font une place prépondérante à l'oralité. Ses personnages ne sont ainsi quelquefois que des voix. C'est le cas dans *La Femme du tueur*, tirée de *C'est rien ça va passer*, recueil de nouvelles paru en 2001.

La Femme du tueur

Sous prétexte que je suis douce et fine, un être délicat, il ne veut pas m'apprendre. Enseigner c'est donner. Il est égoïste et mesquin[1].

Quand je l'ai épousé ma mère m'avait prévenue, Un plouc[2] qui se prépare à tout diriger, à jouer au grand chef. En ce temps-là ma mère me tapait sur les nerfs. Ce qu'on projetait lui et moi elle ne cessait d'y trouver à redire. La complicité entre nous deux oh j'y croyais. Pour le meilleur et pour le pire. Nous serions unis à jamais dans toutes nos entreprises.

Certes il accepte mon aide, même il la demande pour les questions de choix, de sélection, c'est un tueur qui ne tue pas au hasard. Je tiens les livres, je remplis les colonnes. Ça coule de source je suis douée pour les comptes. J'aimerais mieux voir le sang couler.

Si j'insiste il argumente, Les femmes se croient très fortes et au dernier moment elles craquent, elles s'évanouissent. Je proteste. Violemment. Il se fâche il crie, Va te faire pendre ailleurs. Je réponds que lui n'a rien à craindre, il ne vaut pas la corde pour le pendre. Avec dans ma rancœur un manque évident de logique j'ajoute, Vrai gibier de potence[3].

Rien ne change. Je reste l'humble assistante. Il refuse de me révéler l'endroit précis où enfoncer le couteau. Il me cantonne dans le tri, le marquage. Des œufs garantis coque. Il ne veut pas m'apprendre à tuer les poulets.

---

1. ***Mesquin*** : qui manque de générosité.
2. ***Plouc*** : homme grossier, sans distinction (familier).
3. ***Gibier de potence*** : individu malhonnête, qui mérite d'être pendu.

La Femme du tueur

DOSSIER

- Avez-vous bien lu ?
- Les circonstances qui entourent le surgissement du fantastique
- La naissance d'une atmosphère fantastique (groupement de textes n° 1)
- Les manifestations du fantastique (groupement de textes n° 2)
- La description au service du réalisme
- Les caractéristiques du récit réaliste (groupement de textes n° 3)
- Le fonctionnement de la nouvelle à chute
- Histoire des arts

Avez-vous bien lu ?

La présentation (p. 5-20)

1. Pouvez-vous nommer quelques formes de récits courts plus anciennes que la nouvelle ?
2. À partir de quand le mot « nouvelle » désigne-t-il un certain type de récit ?
3. Qu'est-ce que l'*Heptaméron* ?
4. Avec quel autre type de récit la nouvelle a-t-elle été longtemps confondue ? Pourquoi ?
5. Quelle définition Émile Littré donne-t-il de la nouvelle au XIXe siècle ?
6. Quel écrivain américain Baudelaire a-t-il fait connaître en France ? Quelle théorie favorable à la nouvelle développe-t-il ?
7. Comment se nomme le mouvement artistique auquel appartiennent Gustave Courbet, Honoré de Balzac, Gustave Flaubert et Émile Zola ?
8. D'après ces écrivains, quelle est la fonction de l'art ?
9. Quelles sont les caractéristiques du récit fantastique ?
10. Quelle différence s'établit au XXe siècle entre conte et nouvelle ?

Le Portrait ovale (p. 26)

1. Pourquoi le narrateur-personnage et son domestique entrent-ils dans ce château ?
2. Quel est le sens du mot « délire » dans le texte ? Que nous apprend-il de l'état dans lequel se trouve le personnage ?
3. Que sait-on de la décoration des murs du château ?
4. Que se passe-t-il lorsque le personnage déplace le candélabre ?

5. Pourquoi ferme-t-il les yeux ?
6. Que représente le tableau qui intrigue le personnage ? Qu'a-t-il de surprenant ?
7. Quelle explication le personnage se donne-t-il de l'effet produit par le tableau ?
8. Qu'apprend-on à la lecture du « volume qui contenait l'analyse des tableaux et leur histoire » ? (Résumez l'histoire de ce tableau.)
9. Ce récit permet-il de résoudre l'énigme du tableau de façon rationnelle ?
10. Ce récit correspond-il à la définition du récit fantastique proposée dans la présentation (p. 15) ? Justifiez votre réponse.

La Main (p. 34)

1. Qui est M. Bermutier ? Qu'est-il en train de faire au début du récit ?
2. M. Bermutier accepte-t-il d'employer le mot « surnaturel » pour qualifier les faits qu'il vient d'évoquer ? Quel autre mot préfère-t-il utiliser ? Pourquoi ?
3. À quelle ligne commence le récit encadré ?
4. Pourquoi M. Bermutier s'intéresse-t-il à sir John Rowell ?
5. Dans quelles conditions finit-il par le rencontrer ?
6. Qu'est-ce qui attire l'attention de M. Bermutier dans le salon de l'Anglais ?
7. Que pensez-vous de ce que dit l'Anglais à propos de la main ? Comment Bermutier réagit-il à ces propos ?
8. Que sait-on des conditions de la mort de l'Anglais ? Vers quelle hypothèse le récit nous conduit-il ?
9. Quel élément renforce cette hypothèse à la fin du récit encadré ?
10. « Une des femmes murmura : "Non, ça ne doit pas être ainsi" » (p. 42) : qu'est-ce que les auditeurs de Bermutier n'acceptent pas ? Pourquoi ?

La Disparition d'Honoré Subrac (p. 46)

1. Comment le juge réagit-il lorsque le personnage-narrateur témoigne à propos d'Honoré Subrac ? Qu'en déduisez-vous de l'histoire qui va vous être racontée ?
2. Qu'apprend-on d'Honoré Subrac dans la première partie du récit ?
3. En quoi consiste le talent particulier d'Honoré Subrac ? Comment l'explique-t-il ?
4. Cette explication vous semble-t-elle crédible ?
5. Comment le narrateur-personnage réagit-il à cette explication ? Qu'en pensez-vous ?
6. Pourquoi Honoré Subrac a-t-il besoin d'utiliser sa faculté de « mimétisme » ?
7. « Je tentai de me changer en autobus, en tour Eiffel, en académicien, en gagnant du gros lot » (p. 49) : pourquoi le personnage ne parvient-il pas à changer de forme ?
8. Finalement, qu'arrive-t-il à Honoré Subrac ?
9. En somme, vous diriez de cette histoire qu'elle est plutôt *étrange, dramatique, absurde* ? Justifiez votre réponse.

Le Veston ensorcelé (p. 55)

1. Quelle impression le tailleur Corticella produit-il sur le narrateur-personnage ? Pourquoi ?
2. Que se passe-t-il la première fois que le narrateur porte le costume ? Le lecteur peut-il douter de la réalité de ce qui arrive au personnage ? (Le récit laisse-t-il la place à un doute ?)
3. À quel genre d'histoire compare-t-il la situation dans laquelle il se trouve ? Expliquez ce qu'il veut dire en vous appuyant sur la définition du « merveilleux » dans la présentation (p. 16).
4. Quelle somme le personnage accumule-t-il le premier soir ?
5. Quel événement lu dans la presse fait naître des soupçons dans l'esprit du propriétaire du veston ? Pourquoi ?

6. D'après le personnage, d'où vient l'argent qui sort de la poche de son veston ?
7. Quelles conséquences ont les « retraits d'argent » opérés par le personnage ? Cela l'empêche-t-il de continuer ?
8. Quel événement le convainc de renoncer ? Pourquoi ?
9. Que se passe-t-il après qu'il a brûlé le veston ?
10. La fin du récit offre-t-elle une explication rationnelle aux événements relatés ?

L'Ivrogne (p. 67)

1. Relisez le début du texte jusqu'à « comme un oiseau de proie » : à quoi le narrateur consacre-t-il cette partie du récit ? Pourquoi ?
2. Quelle proposition Mathurin fait-il à Jérémie ? Pourquoi celui-ci hésite-t-il ?
3. Finit-il par accepter ? Pourquoi ?
4. « Mathurin versait toujours, en clignant de l'œil au patron, un gros homme aussi rouge que du feu et qui rigolait, comme s'il eût su quelque longue farce » (p. 69). Pourquoi Mathurin cligne-t-il de l'œil ? Peut-on le comprendre lors de la première lecture ?
5. Au fil de la soirée, qu'arrive-t-il à Jérémie ?
6. Pourquoi le cafetier parle-t-il de son frère à Mathurin d'un air finaud ?
7. Jérémie a-t-il l'air de comprendre ce qui est en train de se passer ? Justifiez votre réponse.
8. Qu'arrive-t-il lorsque Jérémie franchit le seuil de la porte de sa maison ? Comprend-il tout de suite le tour qu'on lui a joué ?
9. Quel effet produisent sur le lecteur les derniers mots du récit « une bouillie de chair et de sang » ?

La Peur (p. 77)

1. Relisez le début du texte jusqu'à « larges épaules » : quels éléments du texte soulignent la solidité de l'amitié qui unit Léonce Péraudin et Joseph Voillot ?
2. Quel effet produisent les paroles de la femme dans l'esprit des deux personnages ?
3. Quel phénomène météorologique gagne peu à peu le paysage ?
4. Au moment où les deux amis se séparent, quel sentiment éprouvent-ils ?
5. Quelle est la cause de la mort de Joseph Voillot ?
6. Quelle est la cause de la mort de Léonce Péraudin ?
7. Quel sentiment avez-vous éprouvé à la lecture du dénouement de cette nouvelle ? Justifiez votre réponse.
8. Pourquoi peut-on dire qu'il s'agit d'une nouvelle réaliste ? (Comparez-la avec *L'Ivrogne* de Maupassant.)

Les circonstances qui entourent le surgissement du fantastique

Le Portrait ovale

Relisez le premier paragraphe de la nouvelle (p. 26), puis répondez aux questions suivantes :

Deux premières phrases

1. Que sait-on et qu'ignore-t-on à propos du narrateur-personnage ? En quoi ce début de récit est-il surprenant ?

Que sait-on ?	Qu'ignore-t-on ?

2. Que sait-on et qu'ignore-t-on à propos du château ?

Que sait-on ?	Qu'ignore-t-on ?

Suite du paragraphe

3. Que sait-on de la chambre qu'occupe le personnage ?
4. Qu'éprouve le personnage à l'égard des tableaux qui s'y trouvent ?
5. Comment explique-t-il l'état d'esprit dans lequel il est ?

Synthèse

En vous aidant des réponses précédentes, répondez par écrit à la question suivante : quels éléments de ce début de récit semblent préparer la survenue d'un événement « fantastique » ?

La Main

Relisez la nouvelle, de « J'étais alors juge d'instruction à Ajaccio » à « je me mis à chasser régulièrement dans les environs de sa propriété » (p. 35-36), puis répondez aux questions suivantes :

La violence

1. Dans le deuxième paragraphe du passage (l. 44-54), relevez les mots qui appartiennent au champ lexical de la violence et classez-les en fonction de leur nature grammaticale :

Noms et groupes nominaux	Adjectifs	Verbes

2. Dans la phrase suivante, relevez les mots qui constituent une figure de style appelée « énumération » : « Nous retrouvons là les plus beaux sujets de vengeance qu'on puisse rêver, les haines séculaires, apaisées un moment, jamais éteintes, les ruses abominables, les assassinats devenant des massacres et presque des actions glorieuses. »

3. Dans les deux phrases qui suivent celle-ci dans le passage, relevez d'autres énumérations.

Le mystère

4. Dans les paragraphes 4 à 8 du passage (l. 58-76), le narrateur crée un mystère autour de l'Anglais. Classez en deux catégories les informations qui concernent ce personnage : que sait-on de façon certaine à son sujet ? Que dit-on à son propos ?

Que sait-on de l'Anglais ?	Que dit-on de l'Anglais ?

Synthèse

En vous aidant des réponses précédentes, répondez par écrit à la question suivante : quels éléments de ce début de récit installent le lecteur dans une atmosphère inquiétante ?

La naissance d'une atmosphère fantastique (groupement de textes n° 1)

La lecture de récits fantastiques permet d'observer que nombre d'entre eux possèdent des caractéristiques communes. Par exemple, l'histoire se déroule souvent dans un environnement

rendu inquiétant par des circonstances particulières, comme l'obscurité, la nuit ou le brouillard, qui plongent le personnage dans un état de vigilance accrue, de « nervosité » évoluant vers l'angoisse, la peur, la terreur...
Fidèle à la tradition littéraire du *locus terribilis*[1], le récit fantastique a souvent pour décor des lieux inconnus et chargés de mystère, comme le château médiéval des romans gothiques anglais.
Par ailleurs, la solitude du personnage est un élément propre à faire naître le trouble, mais aussi les états altérés de la conscience causés par la fatigue, la fièvre, le rêve.
Enfin, la somme de ces circonstances favorise le travail de l'imagination qui finalement l'emporte sur le bon sens et plonge le personnage dans un univers fantasmagorique.
Voici deux extraits de textes qui permettent d'observer certaines caractéristiques du récit fantastique et illustrent la maxime de Francisco de Goya : « Le sommeil de la raison engendre des monstres. »

Ann Radcliffe, *Les Mystères d'Udolphe*, 1794

Ann Radcliffe (1764-1823) est une romancière anglaise qui a popularisé le genre du roman noir (ou gothique) – illustré aussi par l'Irlandais Charles Robert Maturin (1782-1824 ; *Melmoth ou l'Homme errant*, 1820) et par l'Anglais Matthew Gregory Lewis (1775-1818 ; *Le Moine*, 1796) –, avec l'immense succès de ses *Mystères d'Udolphe* qui mettent en œuvre tout l'arsenal du genre : château isolé et effrayant, passages secrets, fantômes et cadavres, voix étranges...
À la suite de la mort de ses parents, Émilie Saint-Aubert tombe sous la tutelle de sa tante, Mme Chéron. Celle-ci épouse un riche

1. ***Locus terribilis*** : description de lieux terrifiants destinée à créer une atmosphère inquiétante.

Italien qui les envoient vivre dans le château d'Udolphe, dans les Apennins, région montagneuse et reculée d'Italie. L'extrait suivant relate l'arrivée d'Émilie au château d'Udolphe.

Émilie regarda le château avec une sorte d'effroi ; [...] le style gothique et grandiose de son architecture, ses hautes et vieilles murailles grises, en faisaient un objet imposant et terrible. La lumière s'affaiblit insensiblement sur les murs, et ne répandit bientôt plus qu'une teinte empourprée[1] qui, s'effaçant à son tour, laissa les montagnes, le château et tous les objets environnants dans la plus profonde obscurité.

Isolé, vaste et massif, le château semblait dominer toute la contrée[2]. Plus la nuit devenait sombre, plus ses tours élevées paraissaient menaçantes. Émilie ne cessa de l'examiner que lorsque l'épaisseur du bois, dans lequel les voitures commençaient à s'enfoncer, lui en eut absolument dérobé la vue. Ces immenses forêts présentèrent d'effrayantes images à l'esprit d'Émilie qui ne les trouvait propres qu'à servir de retraite à quelques bandits.

À la fin, les voitures gagnèrent une plate-forme et atteignirent les portes du château. La longue résonance de la cloche qu'on fit sonner augmenta les alarmes[3] d'Émilie.

Pendant qu'on attendait l'arrivée d'un domestique pour ouvrir ces portes formidables[4], elle se mit à considérer l'édifice.

Les ténèbres qui l'enveloppaient ne lui permirent guère d'en discerner que les murailles épaisses et la hauteur effrayante. Elle jugeait, sur ce qu'elle voyait, de la pesanteur et de l'étendue du reste. La porte devant laquelle elle était arrêtée avait des dimensions gigantesques.

Deux fortes tours, surmontées de tourelles, et bien fortifiées, en défendaient le passage. Au lieu de bannières, on voyait flotter sur les

1. ***Empourprée*** : teintée de rouge sombre.
2. ***Contrée*** : région.
3. ***Alarmes*** : ici, inquiétudes.
4. ***Formidables*** : impressionnantes, effrayantes.

pierres disjointes de longues herbes et des plantes sauvages qui prenaient racine dans les ruines, et semblaient croître à regret au milieu de la désolation générale. Les tours étaient reliées par une courtine[1] crénelée[2], munie de casemates[3]. Du haut de la voûte tombait une herse[4] d'un poids énorme. De cette porte, les murs des remparts communiquaient à d'autres tours et bordaient le précipice ; mais ces murailles en ruines en beaucoup d'endroits, aperçues à la dernière clarté du soleil couchant, montraient les ravages de la guerre. L'obscurité enveloppait tout le reste.

Ann Radcliffe, *Les Mystères d'Udolphe*, trad. Victorine de Chastenay, 1798, révisée par Stéphane Després.

Le récit en point de vue interne – un regard subjectif

1. Relevez dans le texte les expressions indiquant que le château est décrit à travers le regard d'Émilie.
2. Dans les phrases suivantes, repérez les expressions qui traduisent l'angoisse d'Émilie, puis remplacez-les par des expressions qui expriment un sentiment positif, agréable : « Émilie regarda le château avec une sorte d'effroi ; [...] le style gothique et grandiose de son architecture faisait de ce géant de pierre un objet imposant et terrible » ; « Plus la nuit devenait sombre, plus ses tours élevées paraissaient menaçantes » ; « le son prolongé de la cloche d'entrée augmenta encore les alarmes d'Émilie ».

L'utilisation fantastique du lexique

1. Repérez un réseau lexical – celui de la démesure. Dans cette perspective, relevez les caractéristiques qui sont associées dans le texte à chacun de ces éléments :

---

1. ***Courtine*** : mur de fortification.
2. ***Crénelée*** : surmontée de créneaux.
3. ***Casemates*** : abris fortifiés.
4. ***Herse*** : grille que l'on peut baisser et relever à l'entrée d'un château fort.

	Caractéristiques
« le style gothique »	
« l'obscurité »	
« ces forêts »	
« ces portes »	
« des dimensions »	
« la désolation »	
« une herse »	

2. Repérez un réseau lexical – celui de la peur. Dans cette perspective, relevez dans le texte les mots qui complètent les expressions suivantes :
   A. « Émilie regarda le château avec une sorte d'.. »
   B. « Un objet imposant et .... »
   C. « Plus ses tours élevées paraissaient .... »
   D. « L'esprit troublé d'Émilie peuplait d'images .... »
   E. « Le son prolongé de la cloche d'entrée augmenta encore .... d'Émilie. »
   F. « Les murailles épaisses et la hauteur .... »

Guy de Maupassant, *Sur l'eau*, 1876

Publiée la première fois dans *Le Bulletin français* du 10 mars 1876 sous le titre *En canot*, la nouvelle *Sur l'eau* a été reprise dans le recueil *La Maison Tellier* (Havard, mai 1881). Nous donnons ci-dessous le texte de la version définitive du recueil (Ollendorff, mai 1891). Un canotier raconte l'expérience terrifiante qu'il a vécue sur la rivière par une nuit de brouillard, où l'ancre de sa barque s'était trouvée coincée au fond de l'eau.

Le fleuve était parfaitement tranquille, mais je me sentis ému par le silence extraordinaire qui m'entourait. Toutes les bêtes, grenouilles et crapauds, ces chanteurs nocturnes des marécages, se taisaient. Soudain, à ma droite, contre moi, une grenouille coassa. Je tressaillis : elle se tut ; je n'entendis plus rien. [...] Pendant quelque temps, je demeurai tranquille, mais bientôt les légers mouvements de la barque m'inquiétèrent. Il me sembla qu'elle faisait des embardées gigantesques, touchant tour à tour les deux berges du fleuve ; puis je crus qu'un être ou qu'une force invisible l'attirait doucement au fond de l'eau et la soulevait ensuite pour la laisser retomber. J'étais ballotté comme au milieu d'une tempête ; j'entendis des bruits autour de moi ; je me dressai d'un bond : l'eau brillait, tout était calme.

Je compris que j'avais les nerfs un peu ébranlés et je résolus de m'en aller. Je tirai sur ma chaîne ; le canot se mit en mouvement, puis je sentis une résistance, je tirai plus fort, l'ancre ne vint pas ; elle avait accroché quelque chose au fond de l'eau et je ne pouvais la soulever ; je recommençai à tirer, mais inutilement. Alors, avec mes avirons[1], je fis tourner mon bateau et je le portai en amont pour changer la position de l'ancre. Ce fut en vain, elle tenait toujours ; je fus pris de colère et je secouai la chaîne rageusement. Rien ne remua. Je m'assis découragé et je me mis à réfléchir sur ma position. [...] Je possédais une bouteille de rhum, j'en bus deux ou trois verres, et ma situation me fit rire. Il faisait très chaud, de sorte qu'à la rigueur je pouvais, sans grand mal, passer la nuit à la belle étoile.

Soudain, un petit coup sonna contre mon bordage[2]. Je fis un soubresaut, et une sueur froide me glaça des pieds à la tête. Ce bruit venait sans doute de quelque bout de bois entraîné par le courant, mais cela avait suffi et je me sentis envahi de nouveau par une étrange agitation nerveuse. Je saisis ma chaîne et je me raidis dans un effort désespéré. L'ancre tint bon. Je me rassis épuisé.

Cependant, la rivière s'était peu à peu couverte d'un brouillard blanc très épais qui rampait sur l'eau fort bas, de sorte que, en me dressant debout, je ne voyais plus le fleuve, ni mes pieds, ni mon

---

1. ***Avirons*** : rames.
2. ***Mon bordage*** : le flanc de mon embarcation.

bateau, mais j'apercevais seulement les pointes des roseaux, puis, plus loin, la plaine toute pâle de la lumière de la lune, avec de grandes taches noires qui montaient dans le ciel, formées par des groupes de peupliers d'Italie. J'étais comme enseveli jusqu'à la ceinture dans une nappe de coton d'une blancheur singulière, et il me venait des imaginations fantastiques. Je me figurais qu'on essayait de monter dans ma barque que je ne pouvais plus distinguer, et que la rivière, cachée par ce brouillard opaque, devait être pleine d'êtres étranges qui nageaient autour de moi. J'éprouvais un malaise horrible, j'avais les tempes serrées, mon cœur battait à m'étouffer ; et, perdant la tête, je pensai à me sauver à la nage ; puis aussitôt cette idée me fit frissonner d'épouvante. Je me vis, perdu, allant à l'aventure dans cette brume épaisse, me débattant au milieu des herbes et des roseaux que je ne pourrais éviter, râlant de peur, ne voyant pas la berge, ne retrouvant plus mon bateau, et il me semblait que je me sentirais tiré par les pieds tout au fond de cette eau noire. [...]

J'essayai de me raisonner. Je me sentais la volonté bien ferme de ne point avoir peur, mais il y avait en moi autre chose que ma volonté, et cette autre chose avait peur.

Maupassant, *Sur l'eau*, *Une partie de campagne et autres nouvelles au bord de l'eau*, Flammarion, coll. « Étonnants Classiques », 2012, p. 69-72.

Le point de vue interne – l'expression des sentiments

Repérez dans le texte toutes les expressions qui évoquent les sentiments du personnage ainsi que leurs manifestations physiques. Classez-les dans le tableau suivant :

Sentiments	Manifestations physiques

Les manifestations du fantastique (groupement de textes n° 2)

Dans *Le Portrait ovale* (p. 26), le personnage est tellement surpris de ce qu'il voit qu'il ferme les yeux par réflexe. Par la suite, il est victime d'un phénomène visuel proche de l'hallucination qui confère à cette histoire son caractère fantastique.
À travers les extraits qui suivent, on repérera la récurrence, d'un texte à l'autre, des procédés favorisant l'irruption du fantastique, en l'occurrence : le témoignage à la première personne ou en focalisation interne, le récit d'un événement vu par le personnage et par lui seul, dans des circonstances particulières et propices à la suspension du jugement (proximité du sommeil, nervosité du personnage, autosuggestion)...

Théophile Gautier, *La Cafetière*, 1831

À l'occasion d'un voyage en Normandie, le narrateur-personnage de *La Cafetière* passe une nuit dans une demeure dont la décoration ancienne et démodée l'intrigue. Au moment de se coucher dans sa chambre aux murs couverts de tableaux, une certaine inquiétude s'empare de lui.

Je me déshabillai promptement, je me couchai, et [...] je fermai bientôt les yeux en me tournant du côté de la muraille.

Mais il me fut impossible de rester dans cette position : le lit s'agitait sous moi comme une vague, mes paupières se retiraient violemment en arrière. Force me fut de me retourner et de voir.

Le feu qui flambait jetait des reflets rougeâtres dans l'appartement, de sorte qu'on pouvait sans peine distinguer les personnages de la tapisserie et les figures des portraits enfumés pendus à la muraille.

C'étaient les aïeux de notre hôte, des chevaliers bardés de fer, des conseillers en perruque, et de belles dames au visage fardé et aux cheveux poudrés à blanc, tenant une rose à la main.

Tout à coup le feu prit un étrange degré d'activité ; une lueur blafarde[1] illumina la chambre, et je vis clairement que ce que j'avais pris pour de vaines peintures était la réalité ; car les prunelles de ces êtres encadrés remuaient, scintillaient d'une façon singulière ; leurs lèvres s'ouvraient et se fermaient comme des lèvres de gens qui parlent, mais je n'entendais rien que le tic-tac de la pendule et le sifflement de la bise d'automne.

Une terreur insurmontable s'empara de moi, mes cheveux se hérissèrent sur mon front, mes dents s'entrechoquèrent à se briser, une sueur froide inonda tout mon corps.

La pendule sonna onze heures. Le vibrement du dernier coup retentit longtemps, et, lorsqu'il fut éteint tout à fait...

Oh ! non, je n'ose pas dire ce qui arriva, personne ne me croirait, et l'on me prendrait pour un fou.

Les bougies s'allumèrent toutes seules ; le soufflet[2], sans qu'aucun être visible lui imprimât le mouvement, se prit à souffler le feu, en râlant comme un vieillard asthmatique, pendant que les pincettes fourgonnaient dans les tisons[3] et que la pelle relevait les cendres.

Ensuite une cafetière se jeta en bas d'une table où elle était posée, et se dirigea, clopin-clopant[4], vers le foyer, où elle se plaça entre les tisons.

Quelques instant après, les fauteuils commencèrent à s'ébranler, et, agitant leurs pieds tortillés d'une manière surprenante, vinrent se ranger autour de la cheminée.

Je ne savais que penser de ce que je voyais ; mais ce qui me restait à voir était encore bien plus extraordinaire.

Gautier, *La Cafetière*, *La Morte amoureuse et autres nouvelles*, Flammarion, coll. « Étonnants Classiques », 1995, p. 22-23.

---

1. ***Blafarde*** : d'un blanc terne.
2. ***Soufflet*** : instrument servant à produire de l'air pour attiser le feu.
3. ***Tisons*** : restes de morceaux de bois dont une partie a brûlé.
4. ***Clopin-clopant*** : comme en boitant.

1. Relevez les différents procédés qui témoignent de l'hésitation et de la surprise du personnage.
2. Quel geste fait-il avant d'admettre que ce qu'il voit sur le tableau est réel ?

Oscar Wilde, *Le Portrait de Dorian Gray*, 1891

Dans *Le Portrait de Dorian Gray*, le héros a formulé le souhait de rester éternellement jeune et beau, et que son portrait peint par Basil Hallward vieillisse à sa place. Un soir, il rentre chez lui après avoir rompu brutalement avec sa fiancée.

Comme il tournait la poignée de la porte, ses yeux tombèrent sur son portrait peint par Basil Hallward ; il tressaillit d'étonnement !... Il entra dans sa chambre, vaguement surpris... Après avoir défait le premier bouton de sa redingote, il parut hésiter ; finalement il revint sur ses pas, s'arrêta devant le portrait et l'examina... Dans le peu de lumière traversant les rideaux de soie crème, la face lui parut un peu changée... L'expression semblait différente. On eût dit qu'il y avait comme une touche de cruauté dans la bouche... C'était vraiment étrange !...

Il se tourna, et, marchant vers la fenêtre, tira les rideaux... Une brillante clarté emplit la chambre et balaya les ombres fantastiques des coins obscurs où elles flottaient. L'étrange expression qu'il avait surprise dans la face y demeurait, plus perceptible encore... La palpitante lumière montrait des lignes de cruauté autour de la bouche comme si lui-même, après avoir fait quelque horrible chose, les surprenait sur sa face dans un miroir.

Il recula, et prenant sur la table une glace ovale entourée de petits amours[1] d'ivoire, un des nombreux présents de lord Henry, se hâta de se regarder dans ses profondeurs polies... Nulle ligne comme celle-là ne tourmentait l'écarlate de ses lèvres... Qu'est-ce que cela voulait dire ?

---

1. ***Amours*** : représentations symboliques de l'amour.

Il frotta ses yeux, s'approcha plus encore du tableau et l'examina de nouveau… Personne n'y avait touché, certes, et cependant, il était hors de doute que quelque chose y avait été changé… Il ne rêvait pas ! La chose était horriblement apparente…

Il se jeta dans un fauteuil et rappela ses esprits… Soudainement, lui revint ce qu'il avait dit dans l'atelier de Basil le jour même où le portrait avait été terminé. Oui, il s'en souvenait parfaitement. Il avait énoncé le désir fou de rester jeune alors que vieillirait ce tableau… Ah ! si sa beauté pouvait ne pas se ternir et qu'il fût donné à ce portrait peint sur cette toile de porter le poids de ses passions, de ses péchés !… Cette peinture ne pouvait-elle donc être marquée des lignes de souffrance et de doute, alors que lui-même garderait l'épanouissement délicat et la joliesse[1] de son adolescence ?

Son vœu, pardieu ! ne pouvait être exaucé ! De telles choses sont impossibles ! C'était même monstrueux de les évoquer… Et, cependant, le portrait était devant lui portant à la bouche une moue de cruauté !

Wilde, *Le Portrait de Dorian Gray*, trad. anonyme, 1895.

Sujet d'écriture : il vous arrive d'être surpris par ce que vous voyez au point de ne pas y croire immédiatement. Inspirez-vous des deux textes précédents pour raconter un tel épisode, en détaillant ses étapes et en utilisant le vocabulaire de la surprise.

1. ***Joliesse*** : beauté.

La description au service du réalisme

Relisez *L'Ivrogne* (p. 67), puis répondez aux questions suivantes :

1. À partir de « La mer démontée » (deuxième paragraphe), relevez toutes les expressions qui assimilent la mer à une terrible créature vivante.
2. À partir de « L'ouragan » (troisième paragraphe), par quelle figure de style le narrateur fait-il sentir la force croissante du vent ?
3. « On avait halé les barques de pêche jusqu'au pays » (quatrième paragraphe) : pourquoi ce détail produit-il un effet de réel ?
4. « Deux hommes restaient encore » (sixième paragraphe) : quel point commun ces deux hommes ont-ils avec le lecteur ?
5. Dans le tableau suivant, relevez des façons de parler patoisantes des personnages et récrivez-les en français correct. Selon vous, pourquoi l'auteur ne corrige-t-il pas les incorrections dans le discours des personnages ?

Paroles des personnages	Paroles corrigées
Ex. : « Viens-t'en »	Viens

6. De « La salle basse était pleine de matelots » à « plus de bruit encore » (dix-huitième paragraphe) : comment le narrateur s'y prend-il pour restituer l'ambiance qui règne dans l'auberge ?

Les caractéristiques du récit réaliste (groupement de textes n° 3)

Les écrivains réalistes se donnent comme objectif de dépeindre le monde et les hommes tels qu'ils sont, sans les idéaliser. Mais comment donner à voir avec des mots ? Et, surtout, comment fabriquer dans l'esprit du lecteur des images qui ressemblent au réel ? On le comprend bien, il s'agit plutôt d'utiliser l'écriture pour produire une illusion de réalité, un « effet de réel ». C'est ce que dit Maupassant dans la célèbre préface de son roman *Pierre et Jean* (1889) : « Chacun de nous se fait [...] une illusion du monde. [...] Et l'écrivain n'a d'autre mission que de reproduire fidèlement cette illusion avec tous les procédés d'art qu'il a appris et dont il peut disposer. »
La volonté de produire un effet de réel conduit certains écrivains comme Émile Zola à poser sur le monde un regard « scientifique » : leur souci de l'observation détaillée apparente leur démarche à celle des naturalistes qui, au XVIIIe siècle, ont fait avancer les connaissances dans le domaine des sciences naturelles.

Gustave Flaubert, *Un cœur simple*, 1877

Un cœur simple est tiré de *Trois Contes*, la dernière œuvre achevée de Flaubert. Cette nouvelle raconte l'histoire de Félicité, une fille de ferme, orpheline et maltraitée dans son enfance, qui restera toute sa vie une servante dévouée pour sa maîtresse, Mme Aubain. Voici les premières lignes du récit.

Pendant un demi-siècle, les bourgeoises de Pont-l'Évêque envièrent à Mme Aubain sa servante Félicité.

Pour cent francs par an, elle faisait la cuisine et le ménage, cousait, lavait, repassait, savait brider un cheval, engraisser les volailles, battre le beurre, et resta fidèle à sa maîtresse, qui n'était pas cependant une personne agréable.

Elle avait épousé un beau garçon sans fortune, mort au commencement de 1809, en lui laissant deux enfants très jeunes avec une quantité de dettes. Alors, elle vendit ses immeubles, sauf la ferme de Toucques et la ferme de Geffosses dont les rentes montaient à cinq mille francs tout au plus, et elle quitta sa maison de Saint-Melaine pour en habiter une autre moins dispendieuse, ayant appartenu à ses ancêtres et placée derrière les halles.

Cette maison, revêtue d'ardoises, se trouvait entre un passage et une ruelle aboutissant à la rivière. Elle avait intérieurement des différences de niveau qui faisaient trébucher. Un vestibule étroit séparait la cuisine de la *salle* où Mme Aubain se tenait tout le long du jour, assise près de la croisée[1] dans un fauteuil de paille. Contre le lambris[2], peint en blanc, s'alignaient huit chaises d'acajou. Un vieux piano supportait, sous un baromètre, un tas pyramidal de boîtes et de cartons. Deux bergères de tapisserie[3] flanquaient la cheminée en marbre jaune et de style Louis XV. La pendule, au milieu, représentait un temple de Vesta; et tout l'appartement sentait un peu le moisi, car le plancher était plus bas que le jardin.

Au premier étage, il y avait d'abord la chambre de «Madame», très grande, tendue d'un papier à fleurs pâles, et contenant le portrait de «Monsieur» en costume de muscadin[4]. Elle communiquait avec une chambre plus petite, où l'on voyait deux couchettes d'enfants, sans matelas. Puis venait le salon, toujours fermé, et rempli de meubles recouverts d'un drap. Ensuite un corridor menait à un cabinet d'étude; des livres et des paperasses garnissaient les

1. ***Croisée*** : fenêtre.
2. ***Lambris*** : revêtement de bois sur tout ou partie des murs d'une pièce.
3. ***Bergères de tapisserie*** : fauteuils recouverts de toile brodée.
4. ***Muscadin*** : jeune homme élégant, dandy.

rayons d'une bibliothèque entourant de ses trois côtés un large bureau de bois noir. Les deux panneaux en retour disparaissaient sous des dessins à la plume, des paysages à la gouache et des gravures d'Audran[1], souvenirs d'un temps meilleur et d'un luxe évanoui. Une lucarne, au second étage, éclairait la chambre de Félicité, ayant vue sur les prairies.

Flaubert, *Un cœur simple*, Flammarion, coll. « Étonnants Classiques », 2015, p. 41-42.

1. Avez-vous le sens de l'observation ? Vous venez de lire la description de l'intérieur de la maison de Mme Aubain. De mémoire, reliez les différents objets de la colonne de gauche à leurs caractéristiques dans la colonne de droite.

le lambris •	• peint en blanc
un fauteuil •	• d'acajou
une pendule •	• pyramidal
un tas de boîtes •	• de tapisserie
des chaises •	• de paille
des bergères •	• en marbre jaune
une cheminée •	• représentant un temple de Vesta

2. Récrivez l'extrait, de « Cette maison, revêtue d'ardoises » jusqu'à la fin, sans les éléments descriptifs. Que constatez-vous ?

Guy de Maupassant, *Le Petit Fût*, 1884

Le Petit Fût est une nouvelle extraite du recueil *Les Sœurs Rondoli*, publié en 1884. L'aubergiste Chicot essaie de convaincre la vieille Magloire de lui vendre sa ferme...

1. ***Gérard Audran*** (1640-1703) : graveur et dessinateur français.

Maître Chicot, l'aubergiste d'Épreville, arrêta son tilbury[1] devant la ferme de la mère Magloire. C'était un grand gaillard de quarante ans, rouge et ventru, et qui passait pour être malicieux.

Il attacha son cheval au poteau de la barrière, puis il pénétra dans la cour. Il possédait un bien attenant aux terres de la vieille, qu'il convoitait depuis longtemps. Vingt fois il avait essayé de les acheter, mais la mère Magloire s'y refusait avec obstination.

« J'y sieus née, j'y mourrai », disait-elle.

Il la trouva épluchant des pommes de terre devant sa porte. Âgée de soixante-douze ans, elle était sèche, ridée, courbée, mais infatigable comme une jeune fille. Chicot lui tapa dans le dos avec amitié, puis s'assit près d'elle sur un escabeau.

« Eh bien ! la mère, et c'te santé, toujours bonne ?

– Pas trop mal, et vous, maît' Prosper ?

– Eh ! eh ! quéques douleurs ; sans ça, ce s'rait à satisfaction.

– Allons, tant mieux ! »

Et elle ne dit plus rien. Chicot la regardait accomplir sa besogne. Ses doigts crochus, noués, durs comme des pattes de crabe, saisissaient à la façon de pinces les tubercules grisâtres dans une manne[2], et vivement elle les faisait tourner, enlevant de longues bandes de peau sous la lame d'un vieux couteau qu'elle tenait de l'autre main. Et, quand la pomme de terre était devenue toute jaune, elle la jetait dans un seau d'eau.

Maupassant, *Le Petit Fût*, 1884.

Les personnages

1. Qui sont maître Chicot et Mme Magloire ?
2. Relevez les éléments de la description physique des personnages. Ces derniers sont-ils montrés sous un jour favorable ?

Maître Chicot	Mère Magloire

1. ***Tilbury*** : voiture à cheval.
2. ***Manne*** : grand panier d'osier.

Le discours des personnages

Récrivez correctement les passages suivants : « J'y sieus née, j'y mourrai, disait-elle » ; « Eh bien ! la mère, et c'te santé, toujours bonne ? – Pas trop mal, et vous, maît' Prosper ? – Eh ! eh ! quéques douleurs ; sans ça, ce s'rait à satisfaction. »

L'intrigue

1. De quoi l'aubergiste vient-il parler avec Mme Magloire ?
2. À quoi est-elle occupée lorsqu'il arrive ?

Synthèse

Quelles caractéristiques du récit réaliste retrouvez-vous dans ce texte ?

Émile Zola, *Thérèse Raquin*, 1867

Dans l'extrait suivant, la description horriblement précise de la dépouille d'un homme noyé évoque le travail d'un médecin légiste, et traduit l'intention qu'a l'auteur de faire « le travail analytique que les chirurgiens font sur des cadavres[1] ». Laurent et sa maîtresse Thérèse ont assassiné le mari de celle-ci en le jetant à l'eau, à l'occasion d'une balade en barque sur la Seine. Depuis, Laurent se rend régulièrement à la morgue pour observer les morts. Un jour, il reconnaît le corps de sa victime.

Le meurtrier s'approcha lentement du vitrage, comme attiré, ne pouvant détacher ses regards de sa victime. Il ne souffrait pas ; il éprouvait seulement un grand froid intérieur et de légers picotements à fleur de peau. Il aurait cru trembler davantage. Il resta immobile, pendant cinq grandes minutes, perdu dans une contemplation inconsciente, gravant malgré lui au fond de sa mémoire toutes les lignes horribles, toutes les couleurs sales du tableau qu'il avait sous les yeux.

---

1. Émile Zola, préface de *Thérèse Raquin*.

Camille était ignoble. Il avait séjourné quinze jours dans l'eau. Sa face paraissait encore ferme et rigide; les traits s'étaient conservés, la peau avait seulement pris une teinte jaunâtre et boueuse. La tête, maigre, osseuse, légèrement tuméfiée[1], grimaçait; elle se penchait un peu, les cheveux collés aux tempes, les paupières levées, montrant le globe blafard des yeux; les lèvres tordues, tirées vers un des coins de la bouche, avaient un ricanement atroce; un bout de langue noirâtre apparaissait dans la blancheur des dents.

Cette tête, comme tannée et étirée, en gardant une apparence humaine, était restée plus effrayante de douleur et d'épouvante. Le corps semblait un tas de chairs dissoutes; il avait souffert horriblement. On sentait que les bras ne tenaient plus; les clavicules perçaient la peau des épaules.

Sur la poitrine verdâtre, les côtes faisaient des bandes noires; le flanc gauche, crevé, ouvert, se creusait au milieu de lambeaux d'un rouge sombre. Tout le torse pourrissait. Les jambes, plus fermes, s'allongeaient, plaquées de taches immondes. Les pieds tombaient.

Laurent regardait Camille. Il n'avait pas encore vu un noyé si épouvantable. Le cadavre avait, en outre, un air étriqué[2], une allure maigre et pauvre; il se ramassait dans sa pourriture; il faisait un tout petit tas. On aurait deviné que c'était là un employé à douze cents francs, bête et maladif, que sa mère avait nourri de tisanes. Ce pauvre corps, grandi entre des couvertures chaudes, grelottait sur la dalle froide.

Quand Laurent put enfin s'arracher à la curiosité poignante qui le tenait immobile et béant, il sortit, il se mit à marcher rapidement sur le quai. Et, tout en marchant, il répétait :

«Voilà ce que j'en ai fait. Il est ignoble.»

Il lui semblait qu'une odeur âcre le suivait, l'odeur que devait exhaler ce corps en putréfaction.

Zola, *Thérèse Raquin*, Flammarion, coll. «Étonnants Classiques», 2012, p. 133-134.

---

1. ***Tuméfiée*** : enflée, gonflée.
2. ***Étriqué*** : étroit, rétréci. Les expressions qui suivent précisent cette caractéristique.

1. « Camille était ignoble » (l. 9) : justifiez cette affirmation en analysant le vocabulaire.

2. Complétez le tableau suivant en relevant les éléments de la description correspondant à chaque partie du corps. Que constatez-vous ?

Partie du corps	Élément de la description
La peau	
La tête	
Les cheveux	
Le globe des yeux	
Les lèvres	
Un bout de langue	
Les bras	
La poitrine	
Le flanc gauche	
Les jambes	
Les pieds	

3. Relevez les mots et expressions qui appartiennent au champ lexical de la décomposition.

4. Zola écrit : « Le tableau qu'il avait sous les yeux » : en quoi la description du cadavre de Camille fait-elle penser à un tableau ?

Le fonctionnement de la nouvelle à chute

Cauchemar en jaune

Relisez la nouvelle de Fredric Brown, p. 83, puis répondez aux questions suivantes :

1. D'après la première phrase, quels sont les projets du personnage ? Quel effet produit ce début de récit ?
2. Pourquoi le personnage a-t-il prévu de tuer sa femme à vingt heures quarante-six ?
3. Les projets du personnage vous semblent-ils bien préparés ? Justifiez votre réponse.
4. Dans ce cas, on parle de meurtre :
   A. par omission ?
   B. par objection ?
   C. avec préméditation ?
5. Pourquoi sa femme lui a-t-elle proposé d'aller au restaurant ce soir-là ?
6. Pourquoi n'attend-il pas d'être entré chez lui pour tuer sa femme ? Sinon, que se serait-il passé ?
7. Pourquoi la fin de cette histoire est-elle à la fois surprenante et cruelle ?
8. Quelles caractéristiques de la nouvelle à chute retrouvez-vous dans ce récit ? Pour répondre à cette question, aidez-vous de la présentation, p. 18.

La Femme du tueur

Relisez la nouvelle d'Annie Saumont, p. 89.

Dans le tableau suivant, classez les informations du texte qui induisent le lecteur en erreur et participent de l'effet de surprise final.

Champ lexical de la violence, du meurtre	Informations incomplètes	Expressions équivoques

Histoire des arts

Le fantastique en peinture, du romantisme noir au réalisme magique

Les œuvres produites par un certain nombre d'artistes à partir du XVIIIe siècle présentent des caractéristiques qui permettent de les rapprocher de ce que l'on appelle le « fantastique » en littérature ; ceux qui en sont à l'origine appartiennent à l'un des premiers courants romantiques : le romantisme noir. C'est souvent en exploitant le thème du rêve (ou du cauchemar) que ces artistes exécutent des tableaux étranges, associant un décor réaliste à des motifs surnaturels – présence d'êtres fantomatiques, apparitions –, le tout éclairé de façon à traduire le caractère irréel des phénomènes représentés. Ces réalisations donnent à voir ce que Gérard de Nerval qualifie d'« épanchement du songe dans la vie réelle[1] ».
Le Suisse Johann Heinrich Füssli (1741-1825), l'Espagnol Francisco de Goya (1746-1828), l'Allemand Caspar David Friedrich (1774-1840) s'inscrivent dans cette démarche. Comme lorsqu'il

1. Gérard de Nerval, *Aurélia*, 1855.

lit des récits fantastiques, le spectateur de ces œuvres (voir cahier photos, p. 1-2) peut décider de leur attribuer une explication rationnelle (celle du rêve, qui serait ainsi figuré; celle de l'hallucination qui serait exprimée et trouverait son origine dans l'état altéré de la conscience du personnage représenté; celle d'une difficulté de perception de ce dernier, due aux circonstances de la scène présentée – la nuit, le brouillard...). Friedrich, en particulier, est le peintre des paysages fantastiques reflétant la puissance des forces mystérieuses et indomptables de la nature.

Au XIXe siècle, naît en Angleterre un courant artistique qui se passionne pour les sujets antiques et le Moyen Âge imprégnés de merveilleux : ce sont les peintres préraphaélites. Chez John William Waterhouse (1849-1917), par exemple, le fantastique prend la forme de la magie à travers le motif de l'enchanteresse qui caractérise le merveilleux médiéval des légendes arthuriennes (voir cahier photos, p. 3).

Au début du XXe siècle, l'écrivain André Breton (1896-1966) est le fondateur du mouvement surréaliste[1] qui met en avant les mécanismes « automatiques » de la pensée, c'est-à-dire l'inconscient. Les œuvres de Salvador Dalí (1904-1989) illustrent l'importance que les surréalistes accordent à la représentation explicite des rêves (voir cahier photos, p. 5). René Magritte (1898-1967), pour sa part, témoigne davantage du sentiment de réalisme magique qui accompagne le surgissement du surnaturel dans le quotidien (voir cahier photos, p. 4). Ces tableaux reposent souvent sur des effets visuels, et introduisent habilement et simplement l'impossible dans le réel.

À travers les siècles, les artistes ont voulu témoigner de la place qu'occupent les mystères, l'inexplicable, l'impossible, le rêve dans l'esprit humain. Le fantastique revêt diverses formes dans leurs œuvres, mais il produit toujours un effet de surprise com-

---

1. Voir note 2, p. 45.

parable à celui décrit par Edgar Allan Poe dans *Le Portrait ovale* : le spectateur n'en croit pas ses yeux...

Caractéristiques du fantastique en peinture

À l'aide du tableau de la page ci-contre, repérez, dans chacune des œuvres de la section du cahier photos intitulée « Le fantastique en peinture », les caractéristiques qui permettent de les rattacher au registre fantastique.

Caspar David Friedrich, *L'Abbaye dans un bois de chênes*

1. Pourquoi peut-on dire de ce tableau qu'il dégage une atmosphère fantastique ?

2. Sujet d'écriture : rédigez un extrait de récit fantastique à partir des données suivantes : le narrateur-personnage et son cousin en vacances chez un parent se sont égarés en forêt et ont été contraints d'y passer la nuit. Au petit matin, ils reprennent leur marche et gravissent un monticule, du sommet duquel ils aperçoivent l'abbaye et la procession de moines. Racontez, en vous efforçant de rendre sensibles l'aspect inquiétant du paysage et la dimension fantastique de cette aventure.

John William Waterhouse, *Le Cercle magique*

1. Décrivez la composition du tableau.
2. Décrivez la femme. De quoi a-t-elle l'air ? Pourquoi ?
3. Quels éléments en particulier introduisent la magie dans ce tableau ?

Marianne Stokes, *La Jeune Fille et la Mort*

1. Décrivez la composition du tableau.
2. Diriez-vous que le décor est réaliste ?
3. Quel élément introduit le surnaturel dans cette scène ?

	Décor réaliste et motifs surnaturels	Atmosphère étrange	Présence d'éléments magiques	Lieux ou créatures inquiétantes	Phénomène en lien avec le sommeil, le rêve	Possibilité d'une double interprétation
Johann Heinrich Füssli, *Le Cauchemar*						
Francisco de Goya, *Le sommeil de la raison engendre des monstres*						
Caspar David Friedrich, *L'Abbaye dans un bois de chênes*						
John William Waterhouse, *Le Cercle magique*						
René Magritte, *La Reproduction interdite*						
Salvador Dalí, *Rêve causé par le vol d'une abeille autour d'une grenade, une seconde avant l'éveil*						

Le réalisme en peinture

Le mouvement réaliste au XIXe siècle concerne autant le domaine de la peinture que celui de la littérature. C'est d'ailleurs la polémique soulevée par la critique autour des tableaux du peintre Gustave Courbet qui a fait passer dans l'usage courant le mot « réalistes » pour désigner les artistes apparentés à ce mouvement.

Ceux-ci cherchent à représenter le monde le plus fidèlement possible, mais surtout ils choisissent leurs sujets dans le quotidien : ils peignent les paysans aux champs, les ouvriers au travail, des passants dans les rues de Paris – des personnes ordinaires occupées à des tâches banales. En cela, ils s'opposent à l'idéalisation et aux décors artificiels de la peinture romantique ou académique.

Certains d'entre eux réussissent à représenter des scènes produisant un effet de réel proche de la photographie, dont la technique se développe à cette époque. Toutefois, ce souci de produire l'illusion du réel a largement dépassé le cadre du XIXe siècle. Ainsi, laissez-vous surprendre par les œuvres réalistes, naturalistes et hyperréalistes de Gustave Caillebotte, d'Edward Hopper et de Norman Rockwell (voir cahier photos, p. 6-8).

Caractéristiques du réalisme en peinture

À l'aide du tableau de la page ci-contre, repérez, dans chacune des œuvres de la section du cahier photos intitulée « Le réalisme en peinture », les caractéristiques qui contribuent à produire un effet de réel.

Gustave Caillebotte, *Le Pont de l'Europe*

1. Que représente le tableau ?
2. Décrivez sa composition.
3. Quels éléments contribuent à créer l'illusion de la réalité ?
4. Quelles caractéristiques du récit réaliste retrouvez-vous dans ce tableau ?

	Décor familier	**Personnages quelconques**	**Effet « photographique »**	**Impression d'« immersion » dans le tableau**
Gustave Caillebotte, *Le Pont de l'Europe*				
Edward Hopper, *Nighthawks*				
Edward Hopper, *Gas*				
Norman Rockwell, *Travel Experience*				

Notes et citations

Dernières parutions

ALAIN-FOURNIER
Le Grand Meaulnes

ANOUILH
La Grotte

ASIMOV
Le Club des Veufs noirs

BALZAC
Le Père Goriot

BAUDELAIRE
Les Fleurs du mal – *Nouvelle édition*

BAUM (L. FRANK)
Le Magicien d'Oz

BEAUMARCHAIS
Le Mariage de Figaro

BELLAY (DU)
Les Regrets

BORDAGE (PIERRE)
Nouvelle vie™ et autres récits

CARRIÈRE (JEAN-CLAUDE)
La Controverse de Valladolid

CATHRINE (ARNAUD)
Les Yeux secs

CERVANTÈS
Don Quichotte

« C'EST À CE PRIX QUE VOUS MANGEZ DU SUCRE... » Les discours sur l'esclavage d'Aristote à Césaire

CHEDID (ANDRÉE)
Le Message
Le Sixième Jour

CHRÉTIEN DE TROYES
Lancelot ou le Chevalier de la charrette
Perceval ou le Conte du graal
Yvain ou le Chevalier au lion

CLAUDEL (PHILIPPE)
Les Confidents et autres nouvelles

COLETTE
Le Blé en herbe

COLIN (FABRICE)
Projet oXatan

CONTES DE SORCIÈRES
Anthologie

CONTES DE VAMPIRES
Anthologie

CORNEILLE
Le Cid – *Nouvelle édition*

DIDEROT
Entretien d'un père avec ses enfants

DUMAS
Pauline
Robin des bois

FENWICK (JEAN-NOËL)
Les Palmes de M. Schutz

FEYDEAU
Un fil à la patte

FEYDEAU-LABICHE
Deux courtes pièces autour du mariage

GARCIN (CHRISTIAN)
Vies volées

GRUMBERG (JEAN-CLAUDE)
L'Atelier
Zone libre

HIGGINS (COLIN)
Harold et Maude – *Adaptation de Jean-Claude Carrière*

HOBB (ROBIN)
Retour au pays

HUGO
L'Intervention, *suivie de* La Grand'mère
Les Misérables – *Nouvelle édition*

JONQUET (THIERRY)
La Vigie

KAPUŚCIŃSKI
Autoportrait d'un reporter

KRESSMANN TAYLOR
Inconnu à cette adresse

LA FONTAINE
Fables – *lycée*
Le Corbeau et le Renard et autres fables – *collège*

LAROUI (FOUAD)
L'Oued et le Consul et autres nouvelles

LEBLANC
L'Aiguille creuse

LONDON (JACK)
L'Appel de la forêt

MARIVAUX
La Double Inconstance
L'Île des esclaves
Le Jeu de l'amour et du hasard

MAUPASSANT
Le Horla
Le Papa de Simon
Toine et autres contes normands
Une partie de campagne et autres nouvelles au bord de l'eau
Bel-Ami

MÉRIMÉE
La Vénus d'Ille – *Nouvelle édition*

MIANO (LÉONORA)
Afropean Soul et autres nouvelles

MOLIÈRE
L'Amour médecin. Le Sicilien ou l'Amour peintre
L'Avare – *Nouvelle édition*
Le Bourgeois gentilhomme – *Nouvelle édition*
Dom Juan
Les Fourberies de Scapin – *Nouvelle édition*
Le Médecin malgré lui – *Nouvelle édition*
Le Médecin volant. La Jalousie du Barbouillé
Le Misanthrope
Le Tartuffe
Le Malade imaginaire – *Nouvelle édition*

MONTAIGNE
Essais

NOUVELLES FANTASTIQUES 2
Je suis d'ailleurs et autres récits

PERRAULT
Contes – *Nouvelle édition*

PRÉVOST
Manon Lescaut

RACINE
Phèdre
Andromaque

RADIGUET
Le Diable au corps

RÉCITS POUR AUJOURD'HUI
17 fables et apologues contemporains

RIMBAUD
Poésies

LE ROMAN DE RENART – *Nouvelle édition*

ROUSSEAU
Les Confessions

SALM (CONSTANCE DE)
Vingt-quatre heures d'une femme sensible

SCÈNES DE LA VIE CONJUGALE
Le couple au théâtre, de Shakespeare à Yasmina Reza

STENDHAL
L'Abbesse de Castro

STOKER
Dracula

LES TEXTES FONDATEURS
Anthologie

TRISTAN ET ISEUT

TROIS CONTES PHILOSOPHIQUES
(Diderot, Saint-Lambert, Voltaire)

VERLAINE
Fêtes galantes, Romances sans paroles *précédées de* Poèmes saturniens

VERNE
Un hivernage dans les glaces

VOLTAIRE
Candide – *Nouvelle édition*

WESTLAKE (DONALD)
Le Couperet

ZOLA
Comment on meurt
Jacques Damour
Thérèse Raquin

ZWEIG
Le Joueur d'échecs

Imprimé par CPI (Barcelona).

Mise en page par Meta-systems
59100 Roubaix

N° d'édition : L.01EHRN000440.N001
Dépôt légal : avril 2015